cahiers libres

DES MÊMES AUTEURS

Ouvrages de Guillaume Dasquié

Secrètes affaires. Les services secrets infiltrent les entreprises, Flammarion, 1999.
Ben Laden, la vérité interdite (avec Jean-Charles Brisard), Denoël, 2001.

Ouvrages de Jean Guisnel

Services secrets. Les services de renseignement sous François Mitterrand (avec Bernard Violet), La Découverte, 1988.
Les généraux. Enquête sur le pouvoir militaire en France, La Découverte, 1990.
Charles Hernu ou la République au cœur, Fayard, 1993.
Au cœur du secret. 1 500 jours aux commandes de la DGSE (avec Claude Silberzahn), Fayard, 1995.
Guerres dans le cyberespace. Services secrets et Internet, La Découverte, 1995 (nouvelle édition en poche : La Découverte, 1997).
Les pires amis du monde. Les relations franco-américaines à la fin du XXe siècle, Stock, 1999 (Prix France-Amérique 1999).
Carnets secrets d'un nageur de combat (avec Alain Mafart), Albin Michel, 1999.
Libération, la biographie, La Découverte, 1999 (Prix du livre politique 2000).
Être juste, justement (avec Marylise Lebranchu), Albin Michel, 2001.
La citadelle endormie. Faillite de l'espionnage américain, Fayard, 2002.

Guillaume Dasquié et Jean Guisnel

L'effroyable mensonge

Thèse et foutaises
sur les attentats du 11 septembre

ÉDITIONS LA DÉCOUVERTE
9 *bis*, rue Abel-Hovelacque
PARIS XIIIe
2002

Catalogage Électre-Bibliographie

DASQUIÉ, Guillaume*GUISNEL, Jean
L'effroyable mensonge : thèse et foutaises sur les attentats du 11 septembre. – Paris : La Découverte, 2002. – (Cahiers libres)
ISBN 2-7071-3825-8

Rameau :	Meyssan, Thierry (19..-....). L'effroyable imposture États-Unis : 2001 (attentats du 11 sept.) manipulation (psychologie) : États-Unis
Dewey :	327.3 : Relations internationales. Politique étrangère. Conflits internationaux. Propagande et guerre psychologique
Public concerné :	Tout public

Si vous désirez être tenu régulièrement informé de nos parutions, il vous suffit d'envoyer vos nom et adresse aux Éditions La Découverte, 9 *bis*, rue Abel-Hovelacque, 75013 Paris. Vous recevrez gratuitement notre bulletin trimestriel ***À La Découverte***. Vous pouvez également retrouver l'ensemble de notre catalogue et nous contacter sur notre site **www.editionsladecouverte.fr**.

« Voilà un homme abominable, qui a imprimé que si nous n'avions point de mains, nous ne pourrions faire des bas ni des souliers : quel blasphème ! Les dévotes crient, les docteurs fourrés s'assemblent, les alarmes se multiplient de collège en collège, de maison en maison ; des corps entiers sont en mouvement. Et pourquoi ? Pour cinq ou six pages dont il n'est plus question au bout de trois mois. Un livre vous déplaît-il, réfutez-le ; vous ennuie-t-il, ne le lisez pas. »

VOLTAIRE, article « Liberté d'imprimer »,
Dictionnaire philosophique, 1765.

Introduction

Thierry Meyssan, auteur d'une *Effroyable imposture* [1], est plus à plaindre qu'à blâmer : voilà sans doute le premier écrivain de langue française dont le titre de l'œuvre la qualifie en même temps. Finalement, Meyssan n'est pas le plus méchant, même si nous avons décidé de consacrer tout un livre rien que pour en dire du mal.

Comme à chaque fois, dans pareil cas, nous avons trépigné devant nos ordinateurs, harcelé nos sources, poursuivi des contacts, arraché des interviews, bavé devant des informations inédites, envoyé paître le reste, passé des nuits blanches. Nous avons privilégié l'enquête, cherché des preuves, écarté des supputations, commis des erreurs, recommencé, essayé de ne plus en commettre. La différence ? Cette fois nous

1. Thierry MEYSSAN, *L'effroyable imposture. 11 septembre 2001*, Carnot, Chatou, 2002.

visions *a priori* l'œuvre d'un homme, un seul, et ce n'était pas le général Pinochet. Réponse excessive, « complot anti-Meyssan » ? Pas exactement.

Pour nous, *L'effroyable imposture* incarne désormais, grâce au crédit dont il a bénéficié, un nouveau type de procédés trompeurs et une perception dangereusement erronée des faiblesses de nos démocraties et des complexités de notre espace géopolitique. Nous attaquons les idées que défend Thierry Meyssan, bille en tête, parce que son travail les incarne littéralement : cette manière de reconstruire le présent en mélangeant croyances et ignorances, ce sentiment de pouvoir réécrire l'histoire sur la base de ses propres phobies et de ses intérêts, en transformant la réalité et en tirant profit des lacunes de ses interlocuteurs, sont absolument, définitivement, inacceptables.

Contre la théorie du complot

Si nous nous en prenons à son livre, qui prétend donner une « autre vérité » sur les effroyables attentats du 11 septembre 2001, c'est d'abord par volonté de retracer la ligne entre les fantasmes et les révélations, entre l'information – parfois critique et dérangeante – et l'imagination. Nous pensons qu'entre la candeur d'intellectuels fascinés par le rêve américain, le défendant à tous crins, et la paranoïa maladive de certains milieux, percevant en chaque citoyen de l'Oncle Sam un envahisseur sans foi ni loi, il existe une réalité plus complexe. En témoignent à la fois, à nos yeux, une élite américaine plus ouverte que jamais sur le monde et un parti républicain replié sur lui-même, qui puise son autorité dans le soutien des compagnies pétrolières texanes et des industriels de l'armement, et dont la fonction consiste, pour l'heure, à gérer la dynamique propre à l'hégémonie américaine. C'est-à-dire exercer une puissance.

On peut combattre cette vision, l'approuver, en défendre une autre. Mais dans tous les cas, nous ne pensons pas que ces différentes représentations de la réalité américaine puissent justifier l'existence de complots au plus haut niveau comme explication ultime. De même, nous sommes convaincus que bien des explications officielles apportées aux événements du 11 septembre et à ceux qui les ont suivis méritent des éclaircissements et des enquêtes approfondies. Les investigations du FBI traduisent sa très forte myopie passée, qu'il faudra bien déchiffrer. La complexité des jeux d'alliance entre islamistes et pro-occidentaux au Pakistan et ailleurs reste à disséquer. Pour ne citer que deux exemples.

Or, les accusations lancées dans *L'effroyable imposture*, et surtout la « méthode » suivie par son auteur, visent à saper toute tentative en ce sens. Sans doute n'avons-nous pas été assez vigilants. L'immense majorité des journalistes de la place de Paris a contribué, au fil des ans, à conférer au Réseau Voltaire et à Thierry Meyssan une incontestable légitimité. Nous percevions souvent dans ses croisades, tantôt contre l'homophobie tantôt contre des mercenaires d'extrême droite, de nobles combats, alors que s'y trouvait déjà l'une de ses raisons d'être, la dénonciation du complot systématique, d'où qu'il vienne.

Lorsque les attentats du 11 septembre 2001 se sont produits, nous avons été, comme tout le monde, saisis par l'énormité de l'événement. Le plus considérable acte terroriste de l'Histoire, qui s'était produit pratiquement sous nos yeux, avait provoqué une urgence : comprendre les tenants et les aboutissants de cet acte, chercher pourquoi il n'avait pas été évité, et découvrir comment il avait pu se produire. Tous deux journalistes, nous avons cherché à éclairer nos lecteurs sur ces faits, avec des milliers d'autres professionnels qui, sur tous les continents, ont écrit au fil des mois des dizaines de milliers d'articles sur cette affaire, interviewé ses protagonistes connus ou moins connus, écouté les enquêteurs, discuté avec des chercheurs, passé des heures et des heures dans les archives.

Nous avons bien sûr pris connaissance avec un certain étonnement des rumeurs plus ou moins piquantes qui ont fleuri ici ou là, comme cela se produit systématiquement dans la foulée d'événements aussi énormes. Nous avons entendu, et parfois même y avons regardé de plus près, des fausses nouvelles et des rumeurs, parmi lesquelles :

— les écoliers arabes de Jersey (New Jersey) ont prévenu à l'avance leurs camarades de l'attaque contre le World Trade Center ;

— le Mossad a prévenu les Juifs travaillant dans les tours du World Trade Center, qui ne se sont pas rendus au travail le 11 septembre ;

— les réseaux d'adduction d'eau de la ville de New York ont été empoisonnés ;

— un policier a glissé sur 82 étages de décombres avant d'arriver sain et sauf au rez-de-chaussée du World Trade Center ;

— un malade mental s'est échappé et s'est installé nu en haut d'une montagne de débris ;

— le tiers des parents d'élèves d'une école privée de New York ont été tués dans l'attentat ;

- le cadavre d'une hôtesse de l'air a été retrouvé menotté à son siège dans les décombres du World Trade Center ;

— les extraterrestres ont mené une attaque supersonique contre le World Trade Center ;

— les images vidéo montrant les avions détruisant les tours du WTC ont été falsifiées en direct pour cacher la véritable raison de leur destruction : des bombes posées par la CIA ;

— deux images différentes du diable sont apparues dans la fumée s'échappant des tours en feu.

Nous pensions que l'irréalité de telles affirmations les empêcherait de faire leur chemin, tant d'éléments étant là pour les bloquer : les témoignages de dizaines de personnes, les éléments techniques, politiques, diplomatiques, policiers, stratégiques, rendant les événements lisibles. Sans oublier les erreurs, pataquès, maladresses, arrière-pensées, approximations, mensonges et autres dissimulations des services officiels américains, tout à fait classiques dans ce genre d'affaire : il n'y a jamais rien de neuf sous le soleil, dès qu'on entre dans le domaine des relations internationales, des enquêtes criminelles, ou des monumentaux échecs du renseignement.

Dérapages...

Chacun à notre manière, nous avons voulu éclairer le public par des ouvrages plus détaillés que des articles de presse [2]. Ce faisant, nous avons aussi constaté, jour après jour, que les rumeurs les plus folles dont nous prenions connaissance au gré de leur émergence ne franchissaient jamais le seuil de leur moderne bocal : quelques sites Internet développant à longueur de pages des mythes « conspirationnistes ». Leurs créateurs, des adeptes des « théories de la conspiration », voient dans le moindre événement – et *a fortiori* dans les plus énormes ! – des pratiques dirigées par des forces occultes et contrôlées par des entités invisibles, animées par de sombres desseins clandestins : contrôler la planète, asservir ses habitants, anéantir les esprits libres. Ces théories fumeuses se nourrissent des dérives des services d'État et des administrations, et prospèrent sur le terreau fertile que constituent les mensonges officiels, le secret excessif, la corruption, faussant le jeu des institutions démocratiques, et l'absence de moralité publique. Entre autres...

Et puis un jour, nous avons commencé à recevoir des messages électroniques de personnes que nous connaissions l'un et l'autre, nous « informant » qu'il n'y avait pas de pirates à bord des avions détournés dont le contrôle avait en fait été pris par des systèmes automatiques. Puis une autre étonnante assertion est

---

2. Guillaume DASQUIÉ et Jean-Charles BRISARD, *Ben Laden, la vérité interdite*, Denoël, Paris, 2001 ; Jean GUISNEL, *La Citadelle endormie. Faillite de l'espionnage américain*, Fayard, Paris, 2002.

parvenue à nos oreilles : le 11 septembre, aucun avion ne s'est écrasé sur le Pentagone.

Lorsque Thierry Meyssan expliqua cette thèse à l'un d'entre nous, dès le mois de septembre 2001, son discours reçut l'accueil gêné que l'on réserve aux égarements d'un ami qui traverse une mauvaise passe. Car dans la presse parisienne, tout le monde a croisé un jour Meyssan, et les combats de son Réseau Voltaire sont généralement vus comme des œuvres positives, en faveur de la liberté d'expression. Dans ce cas précis, ceux qui avaient pris connaissance des élucubrations de Meyssan n'en firent heureusement pas le moindre cas, et les laissèrent au fond de leur poche, avec un mouchoir dessus…

Lorsque son livre explicitant ses théories farfelues, publié chez un éditeur familier des ouvrages conspirationnistes, parut en mars 2002, nous n'en fîmes pas grand cas. Jusqu'à ce que le site Internet qui accompagnait la sortie de *L'effroyable imposture* commence à faire connaître son succès, et que le passage de son auteur dans une émission de télévision renommée lui fasse franchir les obstacles qui le séparaient du grand public, ouvrant ainsi la voie à un extraordinaire succès de librairie.

Soyons clairs : il n'est pas question pour nous de prétendre que Meyssan serait un homme d'extrême droite. Son passé, sans conteste, le situe à l'opposé de ces attitudes, même si les méthodes éditoriales du Réseau Voltaire et l'examen attentif de ses publications laissent entrevoir des pratiques finalement assez peu éloignées de celles qu'il prétend combattre. C'est cette confusion que nous avons voulu éclaircir :

l'inquiétante propension de ce nouveau conspirationniste à mystifier ses lecteurs, la perte de sens induite par la pratique consistant à expliquer que tout est caché, que tout le monde ment, que seul un petit groupe d'individus – voire Meyssan tout seul, à l'en croire – a su décrypter la manipulation, débusquer le mensonge, tordre le cou à la conjuration.

Imposture et mensonge

De cette affaire complexe, on est loin de tout connaître, mais certains de ses éléments paraissent clairs. Les événements qui se sont produits aux États-Unis le 11 septembre 2001 sont bien des attentats, commis par plusieurs individus entraînés, suicidaires, fanatisés, qui ont détourné des avions commerciaux pour les diriger de manière concertée vers des cibles à très forte valeur symbolique : les deux tours du World Trade Center et le Pentagone. Ces attaques visaient à provoquer la terreur des populations civiles, et elles se sont déroulées sans que le gouvernement des États-Unis en ait été clairement informé à l'avance par les services secrets, lesquels pressentaient pourtant leur arrivée.

Selon toute vraisemblance, le milliardaire saoudien Oussama Ben Laden est étroitement lié à ces attentats. Dans quelle mesure est-il leur commanditaire et leur organisateur ? Neuf mois après les événements, aucune démonstration irréfutable n'a été apportée, mais le faisceau de présomptions s'est singulièrement épaissi.

La vérité complète surgira, probablement, dans quelques années. Mais en attendant, ce livre a pour but de démontrer aux lecteurs qu'ils auraient tort de prendre au sérieux la thèse fantaisiste de Thierry Meyssan. Dans le premier chapitre, nous rapportons les éléments fournis par des témoins oculaires ayant vu le Boeing s'écraser sur le Pentagone, et les analyses d'experts expliquant les raisons pour lesquelles il n'y a pas de raison de mettre en doute la réalité de cet impact. Puis, dans le deuxième chapitre, nous abordons le système de pensée des conspirationnistes. Le troisième chapitre est consacré à la « méthode Meyssan », et dévoile qu'il a travaillé avec un réseau d'« experts » autoproclamés, aux curieuses méthodes et solidarités.

Comme il est vain de démonter une à une les inepties de Meyssan, qui tiennent parfois en un mot ou en une ligne, nous avons choisi de traiter dans le quatrième chapitre quelques carabistouilles particulièrement gratinées. Car lorsque Meyssan prétend que les avions auraient été dirigés automatiquement vers les tours de New York, ou qu'un coup d'État militaire était en cours, il prend ses fantasmes pour des réalités…

Notre cinquième chapitre est consacré à la recherche des similitudes entre Meyssan, conspirationniste manquant un peu de pratique, et les « vrais » tenants de ces thèses bizarres. Nous avons ainsi découvert que les idées de Meyssan présentent plus que des similitudes avec celles d'un conspirationniste de belle envergure, connu comme le loup blanc aux États-Unis pour ses délires antisémites : Lyndon LaRouche. C'est pourquoi nous nous interrogeons dans le sixième chapitre sur le point de savoir si Meyssan serait, ou non, un « négationniste » d'un nouveau genre… Et sur les raisons profondes de l'incroyable intérêt suscité par son libelle.

1

Qui a vu un Boeing d'American Airlines sur le Pentagone ?

Ainsi donc, aucun avion, pas plus le vol American Airlines 77 qu'un autre appareil des lignes régulières, n'aurait percuté la façade du Pentagone, dans la matinée de ce 11 septembre 2001, aux environs de 9 h 37. Pire, il s'agirait d'une mise en scène, d'une mascarade arrangée par la première armée du monde, les militaires américains eux-mêmes, qui, plus machiavéliques que jamais, auraient cru bon de réduire en poussière une partie de leur propre quartier général, dans le cadre d'un gigantesque complot fomenté de longue date, dont les enjeux et les modalités apparaîtront clairement un beau jour. Même si chacun lit déjà dans leur jeu, et qu'il n'est nul besoin de connaître la vie publique américaine pour comprendre que leur funeste dessein consiste à justifier de sanguinolentes campagnes militaires dans le monde entier – à commencer par l'Afghanistan. Des campagnes que des contribuables américains et leurs élus piaffent de financer, impatients de revoir les images de ces beaux sacs de plastique noirs s'en revenant d'Asie avec à l'intérieur les corps de leurs enfants.

Ces terribles manipulateurs auraient donc conçu un attentat contre leur ministère, sacrifié pour la cause, en camouflant leur geste derrière le faux crash d'un Boeing 757, le vol AA 77. Un vol bien réel celui-là et emportant des dizaines de ressortissants américains, également pulvérisés dans un souci de perfection, mais ailleurs. Où ? Dans le Triangle des Bermudes ? Peu importe, nous n'en saurons jamais rien, c'est comme ça. Bigre.

Priorité aux faits

Qui sont les auteurs de cette thèse ? Qui sont ces amoureux de la vérité capables de dénoncer et de confondre ces criminels, ces quasi-putschistes œuvrant au cœur de la plus puissante démocratie du monde ? Une équipe de fins limiers français. Héros ou mythomanes paranoïaques faisant commerce de théories conspiratrices ? Laissons-leur une chance. Leur botte secrète ? En marge de leurs activités quotidiennes, nos détectives pourfendeurs de complots planétaires ont simplement regardé et analysé les photographies du Pentagone prises après le drame par ces mêmes militaires américains séditieux, et diffusés sur Internet par le service de presse du Pentagone.

Si des dizaines de personnes n'avaient perdu la vie ce 11 septembre au Pentagone, on rirait presque de ces militaires de l'Oncle Sam, un peu nigauds vus de Paris, des conjurés pas toujours finauds, capables de planifier le plus grand complot de l'histoire moderne et se trahissant par les photographies qu'ils prennent de leur propre forfait et qu'ils exposent à la sagacité de la planète entière *via* le Web. Ignoraient-ils donc qu'en France nous possédons les meilleurs esprits critiques qui ruineraient à coup sûr leur vilaine entreprise ? Sans non plus explorer plus avant l'autre question de fond : pourquoi s'être donné la peine de détruire le Boeing « ailleurs » et d'envoyer un missile sur le Pentagone, puisque de toute façon cela revenait au même ?

Quoi qu'il en soit, voici le scoop salutaire tant espéré, la grande révélation, l'énorme divulgation qu'attendait notre société de l'information pour s'amender, prendre ses distances avec les flux de nouvelles qu'elle déverse à longueur de colonnes, et cette vision du monde qu'elle nous livre sur des écrans de télé. « Tout ça » doit inviter à la réflexion.

Certes. Dans pareil cas, cependant, avant de méditer, l'humble journaliste d'investigation ne résiste pas à la tentation de se livrer à une autocritique de terrain, en reprenant l'enquête ayant conduit au glorieux scoop, en reconstituant une à une ses étapes, pour en tirer des enseignements, pour apprendre aux fins d'exercer toujours mieux son labeur. Hélas, dans l'affaire qui nous intéresse, chaque étape nous a réservé des surprises, mettant à jour d'insoupçonnables méthodes et une logique confinant au burlesque.

Priorité aux preuves matérielles et aux faits. De quels éléments dispose l'auteur de *L'effroyable imposture* pour conclure que le vol AA 77 ne s'est jamais encastré dans le Pentagone ? Des témoignages de personnes qui se trouvaient ce jour-là devant le bâtiment du ministère de la Défense ? Des déclarations d'experts en aéronautique jurant qu'un tel Boeing ne peut pas s'abîmer de la sorte ? Des documents écrits, des serments ? Nenni. Tout repose sur de simples déductions à partir de photographies ou sur des interprétations des propos des responsables des secours lors des conférences de presse qui ont suivi le drame. Déductions qui tiennent en une vingtaine de feuillets dans le livre accusateur. C'était donc si facile ?

Une interrogation vient à l'esprit de quiconque connaît un peu les lieux, c'est-à-dire ce quartier où s'étale le vaste bâtiment du Pentagone lui-même, sur la commune d'Arlington, de l'autre côté de la rivière Potomac, extrémité ouest du *metrorail* de Washington, qu'empruntent chaque matin les milliers de fonctionnaires et d'hommes d'affaires travaillant dans cette banlieue de la capitale fédérale. Pour une majorité d'entre eux, le terminus est la station Pentagon City.

Une question aussi basique qu'incontournable : combien de personnes se trouvaient ce matin-là, entre 9 h 36 et 9 h 38, sortant du métro et dans l'environnement immédiat de la façade qui a explosé, ou dans l'axe que le Boeing d'American Airlines aurait emprunté ou pas ? 2 000, 3 000, 5 000 ? Entre les piétons arrivant par la station de métro, les automobilistes, ajoutés aux centaines d'Américains qui vivent dans les résidences situées face au Pentagone, combien d'individus ont pu regarder dans la direction qui nous intéresse, après avoir été alertés par un bruit émis au-dessus de leur tête, soit par le passage d'un missile de croisière tiré par les comploteurs de l'armée américaine (la version du missile est la thèse défendue par Thierry Meyssan et ses « experts », après la parution de son livre, et présentée pour la première fois lors d'une conférence de presse aux Emirats arabes unis, le 8 avril 2002 [1]), soit par le passage d'un Boeing volant à très basse altitude et sur le point de s'écraser sur la ville ? Les automobilistes constituent même un véritable vivier de témoignages, puisque plusieurs autoroutes desservant Arlington, particulièrement empruntées à cette heure-là de la matinée, offrent une belle vue dégagée sur l'axe de la partie du Pentagone qui a volé en éclats à 9 h 37.

Dès la journée du 11 septembre, quelques-uns de ces témoins ont raconté à la presse dans quelles circonstances ils avaient été saisis de stupeur en voyant le Boeing descendre vers la ville pour percuter le Pentagone. *L'effroyable imposture* cite seulement deux personnalités qui sont dans cette situation, mais réfute catégoriquement leur témoignage, sans avoir pris soin de les contacter ou de réaliser un entretien contradictoire. Page 12 de son livre, Thierry Meyssan explique : « Fred Hey, l'assistant parlementaire du sénateur Bob Ney, a vu tomber un Boeing alors qu'il conduisait sur l'autoroute jouxtant le Pentagone. Le sénateur Mark Kirk était en train de sortir du parking

---

1. Thierry MEYSSAN, « Qui a commandité les attentats du 11 septembre ? Conférence sous les auspices de la Ligue arabe », 8 avril 2002 (texte consultable sur le site du Réseau Voltaire, à la page <http://www.reseauvoltaire.net/actu/ligue-arabe.htm>).

du Pentagone, après avoir petit-déjeuné avec le secrétaire à la Défense, lorsqu'un gros avion s'est écrasé. » Et page 23, il décrète qu'« il est impossible d'avaler de telles balivernes. Loin de créditer leurs dépositions, la qualité de ces témoins ne fait que souligner l'importance des moyens déployés par l'armée des États-Unis pour travestir la vérité ».

Premier constat vertigineux : l'auteur est à ce point convaincu de l'existence d'un complot qu'il range ceux qui infirment sa thèse au nombre des éléments constitutifs du complot. Ces deux témoins sont ainsi éliminés pour cause d'irrecevabilité, sans avoir été interrogés, au seul motif qu'ils travaillent au Congrès – stupéfiant pour qui a déjà fait l'expérience de l'indépendance des parlementaires américains. L'argument que l'on nous sert est connu : tous pourris !

Arrêtons-nous un instant sur la portée de ce jugement dernier. Car inversement, si aucun Boeing n'a heurté le ministère de la Défense le 11 septembre, combien de centaines de spectateurs de cette mystification devraient-ils à cette heure s'insurger contre les pratiques de leur armée et de leur pouvoir politique ? Au pays où chaque information a un prix, combien seraient-ils à rêver de vendre leur témoignage à la chaîne de télé la plus offrante ou de publier le plus largement possible leur propre compte rendu des événements ? Les scoops ont trop de valeur dans l'industrie des médias outre-Atlantique pour laisser passer une nouvelle aussi extravagante.

Lors de l'entretien que nous avons eu avec l'auteur de *L'effroyable imposture*, le vendredi 14 décembre 2001 entre 10 heures et 11 heures, à sa demande, pour discuter du contenu de son ouvrage et de ses conclusions, nous lui avons demandé s'il s'était déplacé à Washington pour mener son enquête, s'il avait personnellement interrogé des habitants vivant en face du Pentagone, s'il avait cherché les précieux témoins de ladite « imposture ». Réponse : aucun déplacement, aucun témoignage recueilli directement, aucune démarche de terrain, le livre sera intégralement bâti sur un examen des photographies et sur la lecture des transcriptions de certaines conférences de presse. Selon lui, dans de tels dossiers, « les témoins oculaires ne sont pas du plus grand secours [2] »...

Une considération révolutionnaire ! Les témoins oculaires sont à l'accoutumée très écoutés, surtout à propos d'un événement matériel, physique, comme celui d'un crash sur le Pentagone, et principalement quand ils sont aussi nombreux que dans le cas présent (car la multiplication des témoins par dizaines rend caduque toute démarche visant à construire des faux témoignages). À moins que les témoins oculaires ne soient ignorés parce qu'ils contredisent un échafaudage de l'esprit tellement palpitant.

---

2. Excepté cette rencontre, intervenue plusieurs semaines avant que Thierry Meyssan ne publie son livre, ce dernier a toujours refusé de rencontrer les auteurs dès lors que ceux-ci ont entamé un travail contradictoire sur sa thèse. Il n'a pas accepté le principe d'une interview portant sur les preuves dont il disposerait et sur ses méthodes d'enquête.

Que disent les témoins oculaires ?

Pour nous forger une opinion, nous avons réalisé le travail soigneusement évité par l'auteur de *L'effroyable imposture* : une prise de contact directe et personnelle avec des témoins, sans intermédiaire, c'est-à-dire des entretiens avec les personnes les plus proches de l'origine de l'information – le B.A. BA d'une enquête journalistique. Pas bégueules, nous avons progressé de manière contradictoire, à charge et à décharge, en recherchant des individus qui avaient vu le Boeing d'American Airlines foncer sur le Pentagone, mais aussi en recherchant des individus qui auraient vu un missile se précipiter sur le bâtiment ou toute autre manifestation de nature à infirmer la présence du Boeing à cet endroit-là.

Premier constat : nous n'avons identifié aucune personne, s'exprimant en son nom propre ou sous le sceau de l'anonymat, qui déclare avoir vu un missile ou tout autre explosif provoquer la déflagration contre la façade du Pentagone. Second constat : nous avons pu constituer une première liste de témoins oculaires affirmant qu'un Boeing s'est bien précipité contre le Pentagone ce 11 septembre au matin. Nos contacts personnels à Washington, la consultation de la presse locale écrite et télévisée des 11 et 12 septembre ont permis en l'espace de trois jours de répertorier dix-huit personnes, vivant dans la région d'Arlington ou à Washington, et facilement joignables en consultant les annuaires locaux. Il s'agit des personnes suivantes, qui décrivent toutes, avec de nombreuses similitudes, la trajectoire de l'avion avant l'impact contre le Pentagone :

— Alfred Regnery, arrivé en voiture depuis le pont sur la rivière Potomac ;

— Allen Cleveland, piéton sortant du métro ;

— D. S. Khavkin : elle et son mari vivent au huitième étage d'un immeuble qui fait face au Pentagone ; depuis leur balcon, ils ont assisté aux derniers instants du vol du Boeing sur le bâtiment ;

— Paul Coleridge, qui se trouvait sur le Wilson Bridge quand il a vu l'avion ;

— Pam Bradley, automobiliste ;

— Joel Sucherman, journaliste, piéton ;

— Fred Gaskins, automobiliste ;

— Aydan Kizildrgli, piéton ;

— Omar Camp, piéton, employé à l'entretien des pelouses, a vu l'avion passer au-dessus de sa tête et heurter le Pentagone ;

— Afework Hagos, automobiliste, programmateur informatique ;

— Mike Walter, piéton ;

— Tim Timmerman, automobiliste et pilote de ligne ;

— Steve Eiden, automobiliste ;

— Elaine McCusker, automobiliste, employée à l'Université de Washington ;

— Stephen McGraw, passager en voiture ;

— Steve Anderson, du journal *USA Today*, a assisté aux derniers instants du vol 77 depuis son bureau, au dix-neuvième étage d'une tour à Arlington ;

— James Robbins, journaliste à *National Review*.

Dans le cas présent, interroger de manière détaillée certains témoins présentait une difficulté de principe : puisque le Pentagone abrite près de 23 000 employés du ministère de la Défense, une partie non négligeable des témoins présents dans l'environnement de la bâtisse, le 11 septembre au matin, appartenaient au personnel de cette administration. Or, comme Thierry Meyssan juge que tous ces fonctionnaires sont peu ou prou complices, il semblait d'autant plus objectif – et magnanime – de s'entretenir avec un homme ou une femme, témoin oculaire, qui ne porte pas l'uniforme. John O'Keefe fait partie de ceux-là.

Ce jeune homme de vingt-six ans travaille dans l'entreprise de presse Legal Times, et coordonne le travail éditorial d'une partie des titres publiés par la société, en particulier le bimensuel *Influence*. Ce dernier suit l'actualité du lobbying, c'est-à-dire des groupes de pression industriels et des cabinets qui les représentent. Il consacre régulièrement des articles d'enquête aux liens entre l'administration Bush et les groupes de pression de l'industrie du pétrole ou du tabac – du vrai journalisme d'investigation, sans accusations à l'emporte-pièce et ciselé. Donc, *a priori*, rien qui place John O'Keefe au nombre des représentants zélés du parti républicain, de l'armée ou du complexe militaro-industriel. John O'Keefe vit dans la ville d'Alexandria, dans l'État de Virginie, à une quinzaine de minutes en voiture d'Arlington, près de laquelle il passe chaque matin et chaque soir pour se rendre à son bureau, situé un peu plus loin, dans le quartier nord-ouest de Washington, sur M Street.

Voici le témoignage écrit et signé qu'il nous a livré[3] : « Ce matin-là, comme d'habitude, je me préparais pour aller travailler tout en écoutant la radio. Peu avant 9 heures, l'animateur à la radio a annoncé qu'un avion venait de s'écraser sur le World Trade Center. À cet instant, comme beaucoup de gens je crois, j'ai d'abord cru qu'il s'agissait d'un petit appareil [de la catégorie des avions d'affaires privés très répandus aux États-Unis], mais j'ai éteint la radio pour allumer la télé sur l'émission *Good Morning America* [la grande émission d'information du matin diffusée sur ABCNews], où j'ai découvert ce qui se passait.

« Je continuais à m'habiller tout en regardant la télé et là j'ai vu l'avion toucher la seconde tour. Je me souviens avoir eu le souffle coupé par le spectacle de l'explosion. L'autre chose dont je me souviens c'est que le téléphone a sonné à cet instant ; c'était une collègue, qui était au travail et s'inquiétait : "Penses-tu que nous sommes en sécurité ici ?" m'a-t-elle demandé. Je lui ai assuré que nous l'étions, lui expliquant que ça ne concernait que New York. Nous avons parlé un court instant, puis je lui ai dit que je partais pour venir au bureau. Il était 9 h 20.

« J'habite à environ dix-quinze minutes du Pentagone, à Alexandria, et dans mes navettes quotidiennes pour aller travailler je dois passer près de la façade

3. Témoignage recueilli par les auteurs, 9 mai 2002. Après la parution de *L'effroyable imposture* (qui a eu un écho très limité aux États-Unis, le « marché » des thèses conspirationnistes étant isolé des autres activités éditoriales), des dizaines d'autres témoins ont éprouvé le besoin de décrire ce qu'ils avaient vu ce matin-là.

ouest du bâtiment. La circulation était très ralentie sur l'autoroute ce matin-là, peut-être parce que tout le monde écoutait la radio. Pour ma part, j'écoutais la radio d'information continue WTOP. J'ai décidé de quitter l'autoroute et d'emprunter une longue bretelle menant à une route qui me permettait de contourner le Pentagone. Puis, je me souviens que je me suis arrêté à un stop. Je venais juste d'entendre à la radio que le National Airport [le Reagan National Airport, aéroport pour les lignes régulières, situé à proximité du Pentagone] venait de fermer au trafic aérien, sauf pour les vols en cours d'arrivée.

« Là, soudain, arrivant de mon côté gauche – j'ignore si je l'ai d'abord vu ou entendu – un avion de couleur argentée est passé [les appareils des lignes American Airlines se distinguent aisément à la partie de leur carlingue recouverte d'une peinture argentée]. Je suis habitué à voir des avions voler à basse altitude dans cette zone, car nous sommes vraiment à un mile ou deux [1 mile = 1,6 km] du National Airport. Mais là, il semblait voler trop bas et filer dans une mauvaise direction. Je me rappelle que je me suis dit qu'il ne pourrait jamais rejoindre l'aéroport dans ces conditions.

« Jusqu'à ce que je réalise qu'il entrait en collision avec le Pentagone. Il est arrivé en descente, en passant au-dessus de l'autoroute, sur ma gauche, et est passé devant ma voiture. L'avion ne volait pas en piqué. Il paraissait sous contrôle et voler comme un appareil sur le point d'atterrir. Ça s'est déroulé très vite et très près de moi, mais j'ai clairement vu le nom et le logo American Airlines sur l'avion. Il y a eu une explosion géante, avec des flammes orange qui sortaient du Pentagone. J'ai pensé que la route devant moi allait être détruite. Puis tout devint noir, il y eut juste une épaisse fumée noire. »

2

La taille du Boeing et la taille du trou dans le mur du Pentagone

Est-ce que le cylindre entrera dans le trou ? Chacun se revoit enfant, remuant, tantôt perplexe tantôt l'air vainqueur, ces jouets de bois de forme géométrique qu'on encastre les uns dans les autres. Une activité d'éveil, dit-on, très utile entre quatre et cinq ans, permettant d'acquérir la notion de volume dans l'espace, ainsi que le sens des proportions – lequel ne confère pas automatiquement le sens du ridicule.

Un peu de balistique aéronautique

Page 20 de *L'effroyable imposture*, on croit retomber en enfance : « Si l'on incruste la forme de l'avion dans la photographie satellite [du Pentagone après l'attentat], on constate que seul le nez du Boeing est entré dans le bâtiment. Le fuselage et les ailes sont restés à l'extérieur. L'avion s'est arrêté net, sans que les ailes ne frappent la façade. Nous devrions donc voir les ailes et le fuselage à l'extérieur, en fait sur la pelouse… » Or, nous dit-on, des morceaux de ferraille sur ce maudit gazon, on n'en voit goutte sur les photos du Réseau Voltaire ; pour l'auteur, on l'aura compris, c'est que les comploteurs ont bien lancé un missile contre ce pauvre mur et réduit ce gros Boeing en cendres ailleurs, à l'abri des regards.

L'effroyable imposture apporte une précision technique qui fonde l'essentiel de sa démarche et demeure le joyau de l'ouvrage : selon ses mesures effectuées à partir des photos, le trou dans le Pentagone mesure 19 mètres de large ; il n'a donc pas pu accueillir le crash d'un Boeing 757 dont la largeur est de 38 mètres [1]. Mince alors, l'avion n'entrerait pas dans le trou ! Ou comment transposer une question complexe de balistique et d'aéronautique en discussion de café du commerce ou en exercice d'éveil pour le dernier rejeton.

N'étant pas experts en balistique ou en accidents aériens, nous voilà en tout cas dubitatifs. Même si, encore une fois, nous constatons que Thierry Meyssan n'enquête pas à charge et à décharge. En l'espèce, persuadé de la rigueur de son raisonnement, il ne se demande nullement si, dans l'éventualité où le vol AA 77 a bien percuté le Pentagone, les morceaux des ailes de l'avion auraient dû retomber délicatement sur la pelouse tandis que le reste de la carlingue

1. La « largeur » du Boeing 757, c'est-à-dire son envergure, est la distance entre les extrémités des deux ailes.

s'encastrait dans le béton. Le fait qu'il n'observe pas de morceaux d'ailes sur la pelouse suffit à justifier le reste de ses déductions.

En dépit des lacunes de sa démarche, et pour lever toute ambiguïté, une question demeure : un Boeing 757 peut-il produire ce type de dégâts en fonçant dans un alignement de cinq bâtiments faits de béton, de brique et de calcaire, composant un total de dix murs d'enceinte, renforcés par une matrice d'acier, comme c'est le cas pour le point d'impact sur le Pentagone ? Si oui, ce Boeing de 38 mètres d'envergure peut-il laisser après le crash un trou dans le mur de 19 mètres de large ?

Une question technique, précise, qui plutôt qu'un flot de supputations requiert l'intervention d'un professionnel, d'un spécialiste en accidents aéronautiques susceptible de nous éclairer sur ce point. En Europe et aux États-Unis, ces compétences ne sont pas répandues (ce qui constitue un sujet de tranquillité pour les amateurs de transports aériens) ; dans la plupart des pays, elles sont détenues par deux ou trois personnes, tout au plus. En France, un homme passe pour le meilleur de cette spécialité, il s'appelle Jacques Rolland. Ancien général de l'armée de l'air, ancien pilote de chasse, il a développé ces dernières années un véritable savoir-faire dans cette discipline, au point de devenir expert près la cour d'appel de Paris en matière d'accidents aéronautiques. Sorte de médecin légiste des épaves d'avion, il totalise des dizaines d'enquêtes sur les lieux de collisions aériennes, impliquant toutes les catégories d'engins volants, depuis les Boeing des lignes régulières jusqu'aux Mirage 2000 de l'armée.

À notre étonnement, l'entretien avec Jacques Rolland s'est déroulé sur un ton presque badin, jamais nous n'avons senti que les caractéristiques de l'attentat contre le Pentagone le déstabilisaient, voire l'interrogeaient. Notre discussion a débuté par un cours de physique, visant à nous présenter les deux grandes familles de crashs aériens.

Première catégorie : collision d'un avion avec le sol ou un obstacle au sol avec un angle inférieur à 45° – il s'agit de l'angle formé par le sol et l'inclinaison de l'appareil. Trivialement, dans ce cas, nous pourrions dire que l'avion « plonge à plat ». Dans une telle configuration, selon Jacques Rolland, plus l'angle est faible et plus les débris sont nombreux et plus ils jaillissent sur un périmètre large (*schéma 1*).

Seconde catégorie : collision d'un avion avec le sol ou un obstacle au sol avec un angle supérieur à 45° et allant jusqu'à 90°. Nous sommes là dans la situation d'un appareil qui chute peu ou prou à angle droit, en piqué, par exemple à la suite d'une vrille. La résistance du sol ou de l'obstacle touché, considérant l'angle pris, empêche rigoureusement tous les effets de rebond. L'avion ne se disloque pas après le contact : il y a un unique impact, se caractérisant par un écrasement de l'engin sur lui-même et donnant naissance à un cratère (*schéma* 2).

Jacques Rolland cite les cas d'appareils accidentés de la sorte, dont il ne reste presque aucune partie de l'avion reconnaissable, ou si peu : « En général, ce que l'on retrouve d'aisément identifiable, ce sont les moteurs de l'avion, le plus souvent au fond du cratère. L'énergie qu'ils développent les laisse dans l'axe de

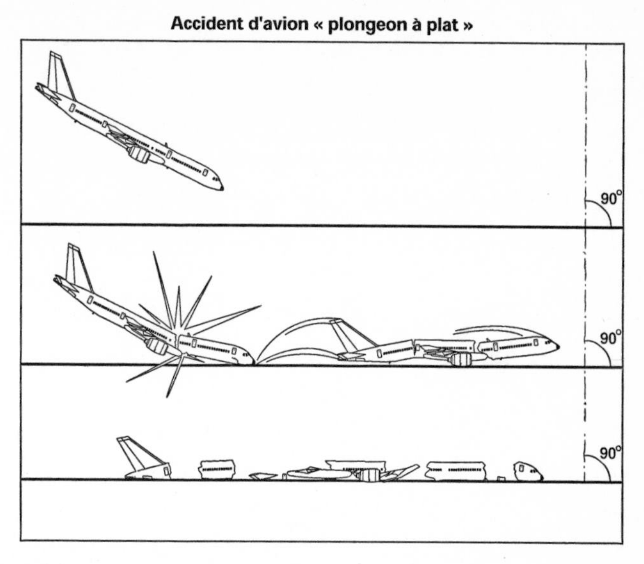

Schéma 1. *L'appareil rebondit au sol, se disloque, ses éléments s'éparpillent. Résistance au sol.*

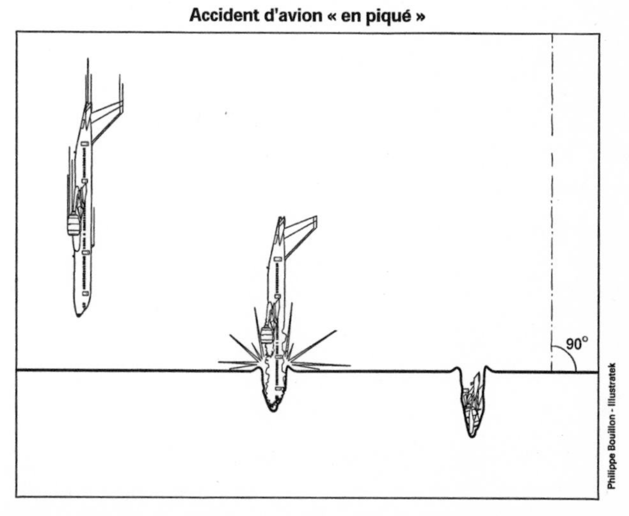

Schéma 2. *Le sol n'offre plus de résistance suffisante et absorbe l'appareil, qui se pulvérise sur lui-même du fait de sa vitesse.*

l'avion après l'impact, et leur extrême densité leur permet de résister à la désintégration provoquée par l'onde de choc, et à la combustion qui l'accompagne. » Ce type de crash, en piqué, se rencontre fréquemment dans les accidents militaires, mais exceptionnellement avec des avions de lignes régulières.

Pour cet expert, le choc du Boeing AA 77 contre le Pentagone, tel que le décrivent les témoins, relève de ces cas singuliers. Théoriquement, ces appareils ne peuvent pas être victimes d'un choc en piqué, car leurs instruments, leur poids et leur maniabilité les empêchent d'accuser des pentes supérieures à 4 % ou 5 %[2]. Ces spécificités expliquent que, dans la plupart des cas, les accidents impliquant de tels appareils laissent de nombreux débris au sol (éparpillement des fragments de la carlingue et des ailes parfois sur plusieurs kilomètres) ; car, même en cas d'explosion à bord et de perte totale de contrôle de l'appareil, son angle d'inclinaison avec le sol, au moment de l'impact, excède rarement 8° ou 10°. Or, dans le cas du Pentagone, Jacques Rolland évalue l'angle du Boeing avec la pente de son point d'impact à environ 80° ! Un angle qui, au moment de la collision, interdit tout rebond de l'avion : celui-ci pénètre littéralement dans l'obstacle, qui l'absorbe en formant un cratère.

---

2. Avec 5 % de pente, l'appareil descend de cinq mètres tous les cent mètres, une distance parcourue en une seconde environ pour un Boeing volant à 400 km/h. À cette vitesse et avec cette pente, l'avion descend de 1 500 mètres en cinq minutes environ (ces chiffres sont des ordres de grandeur, ils ne tiennent pas compte de la résistance de l'air).

la taille du Boeing et la taille du trou dans le mur du Pentagone

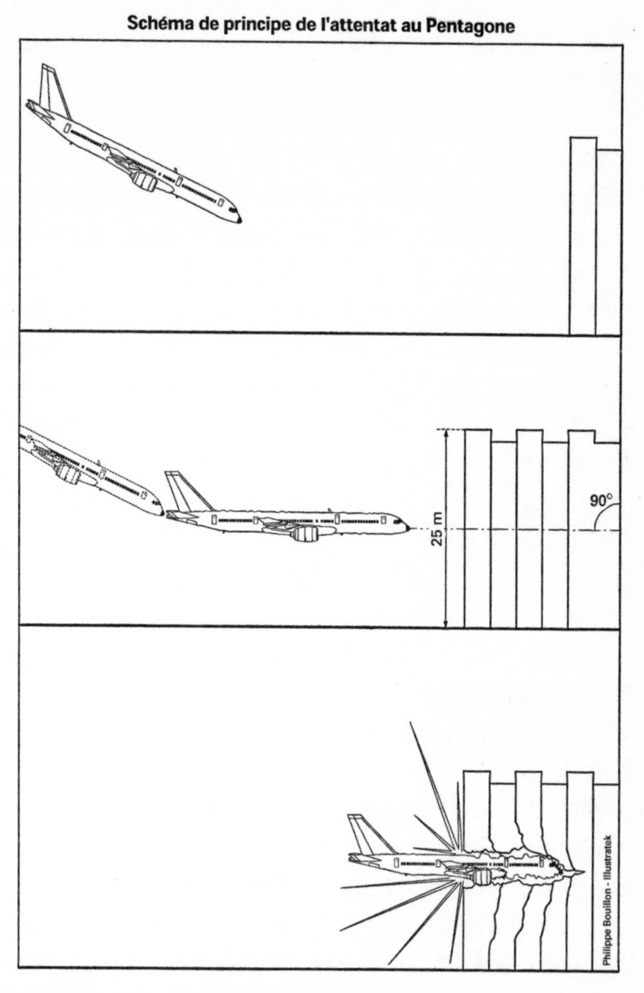

Schéma 3. *Les murs du Pentagone n'offrent pas plus de résistance que le sol et absorbent le Boeing.* – Précisons qu'il s'agit là d'un simple schéma de principe destiné à faire comprendre ce qui s'est passé. Le point d'impact se situe entre la moitié et la partie supérieure du bâtiment, et l'angle d'arrivée par rapport au mur extérieur est de 80° à 90°. Ce qui est montré ici, c'est que l'avion s'est encastré dans le Pentagone en formant un cratère (troisième image montrant le début de la pénétration).

En effet, rapportons-nous aux descriptions des témoins, assurant que l'appareil volait très bas mais bien droit, sans accuser une pente exagérée. Et prenons en compte qu'il percute le mur d'enceinte du Pentagone, une construction verticale de 25 mètres de haut, formant un angle de 90° avec le sol. Donc, quand le Boeing percute le mur, il est quasi parallèle au sol et heurte un obstacle à angle droit – c'est la raison pour laquelle le général Rolland parle de 80°. La situation est la même que celle d'un avion tombant en piqué, à la verticale du sol, pulvérisé par l'absence de rebond, comprimé dans un cratère (voir *schéma 3*).

La réponse des experts

Soit. Mais cette réalité physique n'empêchera peut-être pas quelques esprits chagrins d'insister sur l'absence de morceaux de l'avion sur la verte pelouse du Pentagone. C'est pourquoi nous avons demandé à Jacques Rolland de nous décrire les différentes phases de ce crash intervenu « à la manière d'un piqué », centième de seconde par centième de seconde.

Ce jour-là, après avoir décollé à 8 h 10 de l'aéroport de Dulles, le Boeing 757 d'American Airlines fonce sur le Pentagone « avec certains de ses réservoirs en partie vidés par une heure de vol, créant donc des zones d'accumulation des vapeurs de kérosène, particulièrement explosives en cas de choc. Dans ces conditions, dès lors qu'il n'y a pas de rebond possible, l'avion se comprime dans un cratère qui s'ouvre lors d'une explosion inflammable. Après l'écrasement de la cabine et de l'avant de l'appareil, c'est au tour du longeron principal et du longeron secondaire d'être pulvérisés ».

Véritable charpente de l'appareil, les longerons se présentent comme de « grosses arêtes de poisson » en alliage métallique, installées dans la partie avant de l'appareil, et autour desquels, lors de la fabrication, se construit la voilure – c'est-à-dire qu'ils portent les deux ailes et assurent l'équilibre de l'ensemble. Pour des raisons d'aérodynamisme, les ailes ne forment pas un angle droit avec la carlingue, mais partent vers l'arrière [3]. Ainsi, l'extrémité des deux ailes se situe toujours à l'arrière des longerons qui les supportent. Donc, « une fois les longerons détruits, rien ne tient plus les ailes, elles se détachent de la carlingue et se regroupent sous l'effet de la vitesse pour finir leur course dans le cratère que vient de former l'avant de l'appareil. En outre, l'alliage d'aluminium qui les constitue ne résiste que peu aux très hautes températures. Il semble donc plus que vraisemblable de retrouver leurs cendres à l'intérieur du cratère ».

Pour valider cette analyse, nous avons contacté d'autres spécialistes. Leur opinion n'est pas différente de celle de Jacques Rolland. C'est le cas par exemple de François Grangier, pilote de ligne et commandant de bord, expert enquête-accident près la cour d'appel de Pau : « L'image de cet accident, c'est un tube en carton qui s'écrase sur une partie dure, que la puissance de l'impact fait pénétrer dans l'édifice, avant de

3. On appelle « flèche » l'angle de 40° à 30° de l'aile avec la carlingue, qui place la pointe de l'aile bien en retrait du longeron qui la soutient.

la détruire. Meyssan est allé chercher des photos sur Internet, alors que ce n'est pas le lieu pour disposer d'une information scientifique crédible, dans l'état actuel des choses. Je pense que la trajectographie telle qu'on peut la discerner aujourd'hui ne permet pas de conclure à un impact sur la façade, mais plus vraisemblablement par le toit. Avec quelle trajectoire ? Ce n'est pas une question centrale, car il ne s'agit pas d'un accident d'avion dont il faudrait analyser chaque paramètre pour qu'il ne se reproduise pas, mais d'un acte de malveillance. L'avion fonctionnait parfaitement au moment de l'impact, et il ne faut donc pas s'étonner de l'absence de photographies montrant les débris ou les restes de ce choc. La seule chose importante pour le FBI était le *voice-recorder* du cockpit, et il a été immédiatement récupéré par les enquêteurs. Ce livre fait rigoler tout le monde, à tel point que les Américains ne cherchent même pas à y répondre, contrairement à ce qui s'était passé avec le vol 800 de la TWA, dont les adeptes des théories de la conspiration disaient qu'il avait été abattu par un missile [4]. »

Pour dissiper les derniers doutes, nous avons sollicité le général Jean-Vincent Brisset, général de l'armée de l'air, ancien officier de sécurité pour les lignes aériennes : « Pour parler simplement, explique-t-il, un tel choc transforme l'avion en munition à “charge creuse”, produisant ce qu'on appelle une pointe de feu. Dès le choc, l'appareil se désintègre et brûle au fur et à mesure de sa pénétration dans l'orifice qu'il a creusé. Je me suis entretenu de cette question

4. Entretien avec l'un des auteurs, mai 2002.

avec plusieurs spécialistes tenus à l'obligation de réserve, et ce point ne fait aucun problème, pour personne parmi nous. Dites-vous bien que dans un avion, la plupart des métaux dont il est fabriqué brûlent en se consumant complètement. Cela est vrai de l'aluminium, mais surtout du magnésium et du titane qui provoquent des incendies à très haute température, particulièrement dangereux et difficiles à combattre. Ce qui demeure pratiquement toujours reconnaissable dans un accident suivi d'un incendie est l'"axe" des réacteurs (*core engine*)[5]. »

Restent les questions afférentes au cratère proprement dit, puisque eu égard au secret de l'enquête personne ne dispose encore du détail de l'ensemble des relevés effectués par les secours. Néanmoins, là encore, d'autres professionnels délivrent des commentaires sérieux quant à la physionomie des lieux après l'explosion du Boeing. Il s'agit de l'Ordre des architectes américains et des membres de la profession plus particulièrement intéressés par la pertinence des nouvelles normes de sécurité appliquées aux immeubles fédéraux. Des dispositifs qui ont notamment été renforcés à la suite de l'attentat d'Oklahoma City contre un immeuble du FBI, en avril 1995.

Depuis le 11 septembre 2001, les cabinets d'architectes intervenant sur des contrats gouvernementaux tentent tous de tirer les leçons de l'attaque sur le Pentagone, car, à leurs yeux, sa structure renforcée a réagi de façon exemplaire au crash du Boeing. En témoignent les débats de l'organisation professionnelle The

5. Entretien avec l'un des auteurs, mai 2002.

American Institute of Architects, ainsi que les articles parus dans la revue professionnelle *Architecture Week*, louant la résistance de la bâtisse, et apportant d'utiles précisions quant aux dommages qu'elle a subis. Après enquête auprès des cabinets d'architectes sollicités pour la reconstruction de l'aile endommagée, ses journalistes expliquent que l'écrasement de l'avion a créé un « cratère horizontal », transperçant l'alignement des rangées de bâtiments selon un axe diagonal.

Des dévastations beaucoup plus importantes que celles que l'on croit deviner en observant une photo de face de l'impact. Le Pentagone se compose en effet de cinq anneaux de bâtiments, désignés par les lettres A à E ; et l'avion, pénétrant dans un endroit de l'anneau A, a laissé une cavité longue de plusieurs dizaines de mètres, sur une diagonale s'achevant à l'intérieur de l'anneau C [6]. Donc trois bâtiments ont été détruits, à partir d'un cratère d'un diamètre d'entrée de 19 mètres. Ironie de ce détail : plusieurs photographies aériennes brandies par Thierry Meyssan, auxquelles il tente de donner une signification équivoque, désignent simplement une ligne de toiture à demi carbonisée et endommagée, au-dessus de la zone traversée par le Boeing d'American Airlines…

---

6. B. J. NOVITSKI, « Pentagon battered but firm », *Architecture Week*, 3 octobre 2001.

3

L’équipe des chasseurs de complots

« Un homme seul est en mauvaise compagnie », a dit Paul Valéry. Certes, mais un homme très entouré n'est pas pour autant bien accompagné. Une évidence qui éclairera peut-être notre chasseur de conspirations mais surtout ses affidés. Car l'œuvre qui nous préoccupe résulte d'abord d'une belle équipée, d'un travail collectif.

Un ersatz d'enquête et un réseau d'« experts »

Pourtant, cela eût été déjà une performance de rédiger seul cette *Effroyable imposture*-là, dans la solitude de sa conscience, face au scintillement de son traitement de texte. On imagine aisément notre homme, un de ces soirs d'orage où des envies de justicier s'emparent de lui, encore perturbé par l'atmosphère chargée d'électricité, tout chamboulé par ce gros avion de 38 mètres d'envergure et ce petit trou de 19 mètres de large. Il aurait jeté ses convictions en écrasant avec frénésie les touches d'un vieux clavier noirci, toute la nuit, sans relâche, et le lendemain, aux mâtines, aurait éveillé un éditeur à l'imagination fertile, un peu rêveur, tout prêt à bouter des conspirateurs hors des États-Unis, hors d'Afghanistan et hors de partout. Mais non. De soir d'orage et d'élan solitaire enivré, point !

Thierry Meyssan a bien mené un ersatz de longue enquête, patiemment, la tête froide, rassemblant des *a priori* plutôt que des faits, recherchant dans ses croyances plutôt que dans des comptes rendus objectifs, faisant parler des photos plutôt que des hommes, et surtout, s'entourant de quelques individus devenus chasseurs de complots comme lui, parfois à leur corps défendant.

« Un réseau d'experts dont les membres requièrent l'anonymat mais qui s'expriment par la plume et la voix de Thierry » : c'est ainsi qu'au lendemain de la parution du livre les animateurs et les amis du Réseau Voltaire laissaient entendre que des as du crash d'avion, des maestros de l'enquête impossible et des virtuoses des services secrets avaient apporté une contribution magistrale, permettant à Meyssan de révéler la sale affaire. Contre ces aigrefins d'Américains, de dévoués hommes de l'ombre auraient donc permis à l'auteur et à son éditeur de sauver la démocratie – d'autant plus dévoués que la plupart d'entre eux n'auraient perçu aucun droit d'auteur en dépit de l'immense succès du livre. Mais qui sont-ils, ces pauvres diables lancés dans cette aventure avec une belle abnégation ?

Levons ce mystère. La page 254 de l'*Effroyable imposture* est probablement la plus intriguante de tout le livre, en dépit des apparences : c'est celle des remerciements. Elle tient en sept lignes, mais celles-ci, par les informations qu'elles recèlent, valent mieux que de nombreux commentaires. Que disent-elles ? « L'auteur tient à remercier A.-J. V. et G. S. qui ont bien voulu vérifier les traductions des divers documents et citations [soit, les traducteurs aussi veulent demeurer anonymes] ; E. B, P.-H. B., F. C., S. J., H. M.-V. pour leurs expertises. » Leurs expertises ? Le voilà donc, le fameux réseau d'experts cachés, une succession de cinq noms dissimulés par des initiales, et figurant en bonne place dans les remerciements de l'auteur.

De qui s'agit-il ? Nous avons pu identifier la majorité d'entre eux. P.-H. B. n'est autre que Pierre-Henri Bunel, un officier de renseignement en indélicatesse avec la justice qui a quitté les services actifs de l'armée après avoir été accusé de transmettre des renseignements à des agents serbes, en 1998, au quartier général de l'OTAN. Les lettres S. J. désignent Stéphane Jah, ancien parachutiste et ancien chauffeur du président de Ford France, passionné par les activités des services de renseignement et animateur du site Internet dgse.org sur lequel se retrouvent les fondus de l'espionnage. Enfin, H. M.-V., Hubert Marty-Vrayance, seul membre de cet escadron de Saint-Just qui occupe un poste officiel, et non des moindres, en tant que commissaire à la direction centrale des

Renseignements généraux, dont le rôle ne cessera de nous interroger, puisque tous les documents que nous avons recueillis font de lui le promoteur déterminé du « complot », n'hésitant pas à avancer les arguments les plus irrationnels pour convaincre ses collègues ainsi que l'auteur.

Qui sont précisément nos trois experts et quels apports à la thèse de Thierry Meyssan doit-on leur imputer ?

L'« intime conviction » d'un ex-officier de renseignement

Petit, brun, la cinquantaine alerte, marchant le menton haut mais parlant posément, Pierre-Henri Bunel se bat depuis 1998 contre la justice militaire française, après une sombre histoire de trahison au profit de la Serbie. Quelques semaines avant les premières frappes de l'OTAN contre ce pays, des responsables de l'Alliance l'accusèrent d'avoir transmis « à l'ennemi » une liste de cibles militaires que s'apprêtaient à viser les avions occidentaux. Pour les uns, il s'agissait d'une action pro-serbe destinée à protéger l'armée de Slobodan Milosevic. Pour d'autres, il s'agirait d'une opération de manipulation orchestrée par un officier de la DPSD dépêché en Belgique, dont Bunel aurait été l'un des exécutants, et visant à crédibiliser la participation de la France à des actions massives contre les troupes de Belgrade, dans le but d'amener le pouvoir serbe à faire des concessions plus rapidement.

Une véritable histoire d'espionnage avec des agents doubles et triples. Mais une fuite aurait transformé l'opération en fiasco, conduisant les supérieurs de Bunel à le lâcher. Bien que le tribunal aux armées de Paris ait reconnu Pierre-Henri Bunel coupable de « trahison » en décembre 2001, la légèreté de sa condamnation, eu égard aux charges retenues [1], confère au second scénario une relative vraisemblance.

Depuis son retour forcé à la vie civile, Pierre-Henri Bunel n'a pas renoncé à sa passion : les services de renseignement. Animation d'un site Internet, contacts privilégiés avec plusieurs journalistes, missions de consultant pour quelques sociétés, il tente, vaille que vaille, de réussir sa reconversion en mettant à profit ses compétences. Mais le milieu de l'édition l'attire, autant par goût de l'écriture que par l'envie de solder le passé, de s'expliquer sur cette affaire de trahison. Il publie coup sur coup, en 2000 et 2001, *Crimes de guerre à l'OTAN* [2], puis *Mes services secrets* [3], un document remarquable où il décrit de nombreuses missions des services français au Moyen-Orient et en Bosnie.

1. Devant le tribunal, Pierre-Henri Bunel a reconnu avoir commis une faute mais nié avoir trahi son pays. Le 14 décembre 2001, il a été condamné à cinq ans de prison, dont trois avec sursis. Mais il n'est même pas resté quatre mois derrière les barreaux : il a bénéficié d'une libération conditionnelle et est sorti de prison le 6 avril 2002.

2. Pierre-André BUNEL, *Crimes de guerre à l'OTAN*, Éditions nº 1, Paris, 2000.

3. Pierre-André BUNEL, *Mes services secrets*, Flammarion, Paris, 2001.

Ses longues pérégrinations en Jordanie ou en Arabie saoudite, ses amitiés dans le monde musulman, son amour pour la langue arabe, tout le pousse à réagir aux attentats du 11 septembre. En quelques semaines, il met en chantier un livre qui cherche à démêler la réalité de ces groupuscules islamistes partis pour punir l'Occident pour le compte de chefs religieux aux visées très politiques. Et il s'adresse à Carnot, l'éditeur qui deviendra bientôt celui de Thierry Meyssan – nous reviendrons sur cette maison. Le 31 octobre 2001, il publie chez Carnot son livre, intitulé *Menaces islamistes*, à mi-chemin entre le témoignage de terrain et l'essai politique.

C'est dans un long et bruyant restaurant japonais du IIe arrondissement de Paris que nous nous retrouvons avec lui, pour discuter de ces événements. À peine assis, pas encore habitué au niveau sonore du brouhaha, une perceuse en action fait trembler les murs du restaurant. Nous rions avant qu'il ne raconte [4].

Grâce au forum électronique et au site Internet dgse.org, de Stéphane Jah, qui trie toutes les informations liant des activités de renseignement aux attentats, dès le 28 septembre 2001 il apprend que le Réseau Voltaire s'interroge sur l'attentat du Pentagone. « À partir de ce que j'ai vu sur le Réseau Voltaire, j'ai acquis le sentiment qu'il n'y avait peut-être pas eu d'avion sur le Pentagone », précise-t-il, tout en reconnaissant que son opinion se fonde uniquement sur l'analyse des photographies proposée par les

4. Entretien avec l'un des auteurs, mai 2002.

animateurs dudit réseau et aucunement sur une enquête personnelle sur place.

L'hypothèse le tracasse, mais pas suffisamment pour l'inclure dans son livre sorti le 31 octobre, qui détaille les circonstances des attentats mais ne présente pas cette piste. Puis, au mois de novembre, Patrick Pasin, directeur des Éditions Carnot, le contacte, pour lui demander une expertise. Bunel s'explique : « Peu de temps après la sortie de mon livre, Carnot préparait celui de Meyssan. Mais avant de le publier, Pasin voulait un éclairage technique, un conseil avisé sur la crédibilité de la thèse voulant qu'aucun avion ne s'est abattu sur le Pentagone. »

C'est ainsi que l'ex-officier de renseignement rencontre Thierry Meyssan, chez leur éditeur commun, une après-midi de la mi-novembre. Une discussion calme, précise, prudente mais chaleureuse, amicale mais pas trop. Quand nous l'évoquons ensemble, dans ce japonais de la rue Montmartre, les baguettes en l'air et les coudes sur la table entre deux bouchées, nous sommes six mois plus tard. Des dizaines d'indices s'accumulent déjà tendant à démontrer les faiblesses des assertions de Thierry Meyssan.

Qu'importe, il assume ses choix passés, les affirmations lancées et une certaine part de responsabilité. Dans les yeux, sans murmurer, il parle des « raisons objectives qui permettent de conclure à l'explosion d'une charge à l'intérieur du bâtiment », des caractéristiques des photos de l'incendie qui ne correspondraient « en rien aux flammes constatées dans d'autres accidents d'avion[5] », des dimensions de l'impact qui accréditeraient un tir de missile plutôt que l'écrasement d'un Boeing.

Nous lui demandons des preuves, des témoignages, des éléments matériels irréfutables, aisément vérifiables. Pour seule réponse, il brandit son intime conviction. Il met en doute l'opportunité d'une enquête de terrain et la possibilité même d'obtenir des déclarations fiables de toute personne vivant aux États-Unis : « Il faudrait réunir des conditions préalables, être en mesure d'assurer leur sécurité face aux autorités américaines pour qu'ils acceptent de parler. » Entendez : tout ce que vient d'outre-Atlantique se révèle trop suspect, mieux vaut se fier à des photos sur Internet (pourtant mises en ligne par ces mêmes Américains).

Évidemment, partant du principe que toute personne qui a vu le Boeing tomber ce matin-là a inventé une fable avec un pistolet sur la tempe, il ne reste plus qu'à compter sur sa propre imagination, sur sa faculté à échafauder des théories... À quelques milliers de kilomètres de distance. Pourquoi un tel manque de discernement ? Face à face, finissant par quelques gorgées de thé vert, nous lui rappelons que des milliers de citoyens américains ont vu le crash du Boeing, qu'on ne bâillonne pas ainsi autant d'individus dans une démocratie – c'est déjà difficile pour

---

5. Selon les moments où les photos du Pentagone ont été prises, la couleur des flammes varie, correspondant à la combustion du kérosène, puis de certaines parties de l'immeuble lui-même. Ces variations ont donné lieu à de multiples interprétations, dont aucune ne tient compte de l'instant auquel apparaissent successivement les différentes couleurs.

un régime autoritaire. Là, pour la première fois, il semble s'interroger, douter peut-être.

Cette affaire du Pentagone demeure au centre de ses relations avec Meyssan. « En réalité, sur ce point, je préparais un livre intitulé *Mensonge aéronautique* au moment où j'ai rencontré Thierry Meyssan chez Carnot. Nous avons sympathisé et je lui ai proposé de l'aider à rédiger la partie technique de ce sujet. Mais mon procès de décembre a mal tourné, nous avons dû y renoncer », explique-t-il. Avant de préciser la limite de son adhésion aux convictions de l'animateur du Réseau Voltaire dès qu'il s'agit de complot : « Si on avait travaillé ensemble en tant que co-auteur, je n'aurais jamais accrédité la thèse qu'il présente. L'idée que ces attentats résultent d'un complot, conçu par les milieux militaro-industriels dans l'espoir de justifier une nouvelle politique militaire, tout ça je n'y crois pas. »

dgse.org

Il n'est pas le seul à manifester de telles réticences quant à la vision d'ensemble de *L'effroyable imposture* : Stéphane Jah affirme les partager[6].

Brun, la quarantaine juvénile, le cheveux coupé ras, affectant un air inquisiteur, Stéphane Jah cultive

6. Contacté par nos soins, Emmanuel Ratier s'est lui aussi défendu d'avoir collaboré à l'ouvrage de Thierry Meyssan ; comme on le verra plus loin, la proximité de leurs écrits atteste en tout cas de liens importants.

ostensiblement cette manière d'être qui, aux yeux des profanes, range immédiatement un homme dans la gent de l'espionnage, pour le plus grand plaisir de ce dernier. Volontiers mystérieux mais toujours affable, il se passionne pour les services de renseignement depuis des années et entretient des relations avec des dizaines d'enquêteurs en tout genre, du détective véreux au journaliste curieux. C'est une vieille connaissance, sorte de vigie des milieux interlopes, un tantinet folklorique.

C'est aussi un entrepreneur avisé du Web, quoique aux ambitions *a priori* philanthropiques. Dans ses activités électroniques, il n'offre que des services de documentation gratuite, tout en étant parvenu à transformer le sigle DGSE (Direction générale de la sécurité extérieure, le nom des services secrets français depuis 1982) en un nom de marque sur l'Internet. Un détournement qui agacerait les véritables employés de la DGSE. Depuis le mois de juillet 2000, en compagnie de Mathieu Dupart, un jeune informaticien vivant au Québec et partageant les mêmes engouements, il anime le site dgse.org.

Quotidiennement, Stéphane Jah recueille et trie des dizaines de documents téléchargés sur le Web. Pas une étude sur la CIA, pas un reportage sulfureux sur quelque coup douteux commis par un service secret n'échappent à sa sagacité. Une fois sa sélection réalisée dans les flux journaliers que déverse le Web, il met en page et expédie des compilations sur les messageries électroniques de ses abonnés… Parmi eux : le Réseau Voltaire, qui le considère comme un observateur utile. Naturellement, à ce titre, Thierry

Meyssan et lui communiquent, et même très régulièrement après le 11 septembre. Ils semblent partager la même intuition – à propos du Pentagone – et se convaincre l'un l'autre.

Leurs échanges sur le sujet débutent très tôt, bien avant que n'intervienne Bunel, et en moins de trois semaines, sur la base des rares éléments disponibles, sans aucune preuve concrète, ils se convainquent qu'aucun Boeing ne s'est crashé sur le département de la Défense. « À partir du 29 septembre 2001, j'ai commencé à échanger des mails sur le sujet avec lui, sur des sources ouvertes qui passaient entre mes mains », explique-t-il, avant d'entrer dans les détails : « Nous nous sommes entretenus [les différents membres du groupe d'experts] par téléphone et régulièrement par e-mails au sujet des informations captées chaque jour. Nous avons croisé nos éléments d'informations plusieurs fois, tant sur les sources que sur les éléments photographiques issus de la presse internationale. »

Et de préciser : « Nous étions quatre à échanger », outre Thierry Meyssan... Quatre ? Allons-nous découvrir un collaborateur caché, ou un membre du réseau d'experts pas encore dévoilé ? Stéphane Jah affirme, au détour d'une réponse, qu'à ses côtés « il y avait H. M.-V., P.-H. B., et E. R. »... Encore un maniaque des initiales. Les deux premières nous sont familières, la troisième beaucoup moins à ce stade de l'enquête. E. R. ? Nous recherchons, parmi les auteurs des écrits tendant à démontrer qu'aucun avion ne s'est écrasé à Arlington le 11 septembre, si l'un de ces plumitifs se nommerait E. R. Comme Emmanuel Ratier par exemple ?

Quand nous lui soufflons ce nom, Stéphane Jah confirme immédiatement[7], pourtant l'association paraît contre nature. Mais à y regarder de plus près, un E. R. figure bien dans la page de remerciements du livre de Thierry Meyssan, non pas pour son expertise – comme les autres – mais un peu plus bas dans la liste, au titre de son aide documentaire. Extérieur au Réseau Voltaire, Emmanuel Ratier est surtout connu pour sa propension à accuser les États-Unis et Israël d'organiser régulièrement des complots à l'échelle mondiale.

Emmanuel Ratier, un « obsédé du complot » ?

Qui est Emmanuel Ratier ? Intellectuel d'extrême droite, Ratier est avant tout l'un des auteurs préférés du Front national, dont la boutique distribue tous les livres, et notamment le trop fameux *Mystères et secrets du B'nai B'rith*, censé éveiller les consciences sur le « complot judéo-maçonnique », version actualisée du *Protocole des Sages de Sion* (l'arrivée de son livre à la bibliothèque municipale d'Orange, au cours de l'été 1996, peu de temps après l'accession au poste de premier magistrat d'un candidat Front national, avait marqué le début d'un combat de plusieurs élus locaux contre cette dérive culturelle). Cependant, avec une régularité jamais démentie, Emmanuel Ratier

7. Entretiens avec l'un des auteurs, avril et mai 2002.

apparaît comme l'héritier d'Henri Coston, fondateur des Jeunesses anti-juives en 1930 et chef de file des négationnistes français jusqu'à son décès, un jour de juillet 2001, quelque part en Normandie... Et Stéphane Jah ne cache pas ses contacts avec le fils spirituel de Coston, ni même son intérêt pour la lettre qu'il édite, sobrement intitulée *Faits & Documents, Lettre d'informations confidentielles d'Emmanuel Ratier.*

Le numéro 23 du supplément électronique de sa publication est éloquent [8], il débute par des mots maintenant bien connus : « Pour la récente affaire aux États-Unis, le plus étrange des trois attentats est celui ayant visé le Pentagone... » Quelques mots qui introduisent la théorie du complot également partagée par le Réseau Voltaire. Stupéfiant, la date de la publication, 20 octobre 2001, atteste d'une concomitance dans les démarches de Ratier et de Meyssan, même si les deux hommes se sont âprement combattus par le passé. Mieux, ses pensées diffusées le 20 octobre décrivent avec une coïncidence frappante le plan qu'adoptera ensuite Thierry Meyssan pour *L'effroyable imposture.* Qu'on en juge. À cette date, Emmanuel Ratier écrit : « Certains diront que je suis un obsédé du complot, mais j'ai commencé à m'interroger : quand on nous a présenté un splendide passeport appartenant au conducteur d'un des avions s'étant écrasé sur le WTC, alors même que la boîte noire qui pouvait parfaitement résister à l'attentat était

---

8. Supplément auquel on peut s'abonner sur le site <http://www.faits-et-documents.com/>.

inutilisable tout comme les trois autres boîtes noires ; quand le FBI a retrouvé dans la boîte à gants d'une des voitures un manuel de pilotage en arabe. Or ces manuels sont bien trop gros pour être dans une boîte à gants. Il ne faut vraiment jamais avoir vu de notice pour un planeur pour croire qu'on pilote un avion avec un livre de poche. Secundo, les manuels en arabe pour Boeing ne courent pas les rues. Tertio, les pilotes parlaient anglais, ayant été formés dans des écoles américaines. [...] Comment se fait-il qu'aucune photo ni vidéo de l'avion supposé se crasher sur le Pentagone n'a été prise par des témoins (le Pentagone se visite) alors qu'on en a plusieurs dizaines, voire centaines, pour le WTC ? Le Pentagone n'est pas comme la CIA de Langley, dans une forêt. [...] Cerise sur le gâteau : il n'y a absolument aucune trace d'avion. »

Stéphane Jah garde le souvenir d'avoir collaboré avec les deux hommes sur ce dossier, créant une proximité de raisonnements telle qu'il semble impossible de déterminer lequel des trois parvient à convaincre les deux autres que *sa* théorie du complot est la bonne. Un partage de vues que ne renie pas Ratier, lequel souligne dans son numéro d'octobre : « Il y a notamment le Réseau Voltaire, qui a fait un super boulot : je vous recommande d'aller visiter leur page » ; et de préciser, pour que son public ne s'y trompe pas : « Qu'on ne m'accuse pas de leur être favorable [au Réseau Voltaire], j'ai écrit un livre contre eux. »

Ainsi, moins d'un mois après les attentats, sans prendre contact avec le moindre expert officiel des crashs aéronautiques ou des attentats terroristes susceptible de livrer un avis argumenté, sans avoir recueilli la plus petite preuve sur le terrain, se satisfaisant de réflexions prétendument « de bon sens » sur la base de la presse consultée sur Internet, des individus qu'*a priori* tout oppose se rejoignent dans une théorie du complot.

Que le passeport d'un terroriste soit retrouvé et c'est aussitôt l'indice d'une conjuration – sans prendre en compte que d'autres pièces d'identité et effets personnels des victimes de l'avion ayant heurté les tours jumelles ont pu être retrouvés. Que des résumés des principales manœuvres de pilotage à effectuer par les pirates soient rédigés en arabe et l'on crie à la machination – sans songer que les kamikazes n'avaient nul besoin d'ingurgiter le corpus du parfait commandant de bord pour mener à bien leur mission.

Au-delà de leurs prises de position politiques respectives, finalement, ce qui rapproche Thierry Meyssan et Emmanuel Ratier, n'est-ce pas ce goût pour la calomnie facile, ce penchant maladif pour la réalité réécrite, tordue, déformée, dans le dessein de montrer que tous les soubresauts du monde résultent de manipulations inextricables ?

Un fonctionnaire des RG très au parfum…

Sont-ils seuls dans un tel cas ? Non, pas tout à fait. Autre correspondant de Stéphane Jah à agrémenter son quotidien en complots en tout genre : Hubert Marty-Vrayance. Lui est fonctionnaire à la direction centrale des Renseignements généraux du ministère de l'Intérieur. Un cas à part.

Quarante-quatre ans, des lunettes à montures d'acier, les cheveux parfois en bataille, Marty-Vrayance est un homme avenant, de ceux avec qui le tutoiement s'instaure rapidement, qui savent créer sans trop de malice un climat de confiance, qualité précieuse dans sa spécialité. Devenu commissaire de police en 1983, il intègre vite les Renseignements généraux, d'abord au Havre, en 1985. Il ne quittera plus ce service de police, excepté lors d'une parenthèse, en 1993, durant laquelle il s'expatrie au Gabon où il prend en charge le poste très sensible de correspondant du ministère de l'Intérieur auprès de l'ambassade de France. Depuis, il nourrit une passion pour la vie politique africaine et ses ramifications françaises, se révélant souvent un analyste éclairé. Est-ce l'ennui, la curiosité, le goût du risque ou un intérêt plus professionnel qui le conduit à fréquenter le Réseau Voltaire ? Un peu des trois peut-être. Une seule certitude, leur relation n'est ni récente ni feinte.

Un journaliste se souvient d'avoir été présenté à Thierry Meyssan par Marty-Vrayance lui-même, au cours d'un dîner à la Maison du Tarn à Paris, à l'automne 1998. Si depuis la sortie de *L'effroyable imposture* le commissaire a pris quelques distances avec Thierry Meyssan, clamant notamment qu'il « n'a pas joué de rôle initiateur [9] » auprès de lui, plusieurs éléments indiquent que contrairement aux autres « experts » il a favorisé le développement de la thèse du complot elle-même, pointant la responsabilité d'une faction de l'armée américaine. De par ses

9. Entretiens avec l'un des auteurs, février, mars et avril 2002.

activités professionnelles, avait-il des indices lui permettant de prendre cette hypothèse au sérieux ? Non, nullement. Pas la trace d'une preuve. Spécialisé dans la sécurité informatique, il reconnaîtra lors d'un entretien, le 4 avril 2002, que sa connaissance du dossier du 11 septembre se bornait aux informations diffusées par la presse, tout en se montrant résolument en faveur de la thèse du complot. Un parti pris relativement répandu dans les services de renseignement français, où la paranoïa naturelle de nombreux agents secrets les conduit souvent à privilégier systématiquement l'existence de conspirations pour expliquer les événements qui échappent à leurs champs de compétences.

En l'espèce, Marty-Vrayance n'a pas tardé à diffuser ses convictions. Nous avons pu accéder aux messages électroniques qu'il a échangés sur le forum spécialisé dgse.org, dans lequel intervenaient experts et auteur de *L'effroyable imposture* (voir annexes, p. 123 et suiv.). Ainsi, deux jours seulement après les attentats, le jeudi 13 septembre à 20 h 59, il évoque le premier l'éventualité d'un acte manigancé par des puissances demeurant masquées : « Il faut prendre tout ce qui va se dire sur cette méga-enquête US avec précaution. Toutes proportions gardées, on assiste à une sorte de nouvelle enquête Dallas-Oswald-Ruby et consorts : dans peu de temps, les pistes pourraient être brouillées et on n'y comprendra plus rien. On nous donne une seule version, mais il y a vraiment trop de coïncidences bizarres dans le déroulement des opérations du 11 septembre et avant, des défaillances en nombre, des lacunes répétées, des services aveugles et sourds, des rapports perdus, etc. À un tel degré d'accumulations, on ne peut manquer de se poser cette question : Bin Laden seul ? Impossible. Ou Bin Laden simple paravent manipulé par des forces bien plus puissantes sur le sol US ??? La lecture des événements penche pour cette interprétation ! »

Édifiant : près de 48 heures seulement après l'attaque terroriste, un homme parcourant la presse sur son ordinateur croit détenir la vérité. Qu'importe si en matière de terrorisme les enquêteurs spécialisés ne se prononcent pas avant plusieurs mois d'enquêtes, voire avant plusieurs années – comme l'ont montré en France les procédures judiciaires du Parquet antiterroriste sur les attentats de 1995 dans le métro parisien, qui pourtant obéissaient à un plan d'exécution bien plus simple que ceux de New York et Washington.

Lundi 17 septembre, les messages du commissaire Marty-Vrayance se rallongent, la créativité est à son comble : « Les membres des commandos ont été éliminés avant et les avions télécommandés depuis le sol pour faire croire que c'était eux. [...] Les commandos étaient probablement armés d'armes réelles, mais le reconnaître prouverait des complicités nombreuses et évidentes. [...] Le bilan modéré est étonnant et incite aux interrogations. Certains n'auraient-ils pas eu vent de ce qui se tramait ? La surprise ne semble pas avoir été totale pour tout le monde. [...] Tout cela, ce sont de simples considérations personnelles, toutefois de moins en moins extravagantes à la lumière des conséquences politiques et géostratégiques de l'attaque surprise des tours. Oui vraiment, Bin Laden a des épaules bien trop larges et son escadron de kamikazes était génial. »

Le meilleur est à venir : « Comme le dit si bien la série *X-Files*, la vérité est ailleurs ! Pauvres citoyens américains victimes de gens tellement cyniques... Et bientôt, pauvres Afghans, victimes innocentes en retour. Et puis demain : à qui le tour ? Arrêtez-les, tous, quels qu'ils soient, barbus ou dictateurs cyniques en col blanc jouant avec le globe comme dans le film de Chaplin, avant qu'ils n'incendient la planète bleue. » Thierry Meyssan et les amateurs de thèses extravagantes n'en demandaient pas tant pour partir en croisade, surtout venant d'un officier de renseignement.

Un éditeur d'« investigation »

S'il existe bien une conjuration dans notre affaire, c'est celle de gens un peu trop enclins à vouloir souscrire aux théories les plus sensationnelles, saisis et comme hypnotisés par les événements du 11 septembre, qui communiquent en réseau, accréditant mutuellement une version imaginée qui satisfait les croyances sous-tendant leur vision du monde.

Cependant, une telle dérive serait demeurée une fable pour soirées d'hiver entre amis à l'imagination féconde, si un éditeur n'avait décidé d'en faire un livre. Celui-ci s'appelle Patrick Pasin et préside aux destinées de la jeune maison d'édition Carnot, créée en 1997 par ses soins, tout entière dirigée vers l'investigation la plus grotesque avec un sérieux qui force le respect, appliquant à l'infini cette règle immuable selon laquelle « plus c'est gros plus ça marche ». Lors de cette contre-enquête que nous avons initiée au mois d'avril 2002, nous avons pu rencontrer la plupart des protagonistes qui sont intervenus aux côtés de l'auteur, sauf lui, l'éditeur, qui n'a pas accepté de nous recevoir.

C'est à tout le moins curieux de la part d'un courageux croisé de la liberté d'expression. Craignait-il des questions comparant son travail sur les élucubrations de Thierry Meyssan avec certains autres titres de son catalogue ? Comme : *OVNI, enquête sur des faits* de Hugo Nhart, *Téléphones portables, oui ils sont dangereux* de George Carlo et Martin Schram, et, monument du genre, inégalé à notre connaissance sur le marché français, *Lumières sur la Lune* de Philippe Lheureux. Un ouvrage à emporter dans toutes les soirées psychédéliques, où l'auteur tente de nous persuader avec un talent consommé de la rhétorique, à la manière de Meyssan, qu'aucun homme ne s'est jamais posé sur la Lune, pas plus Armstrong qu'un autre, tout n'étant là aussi que mise en scène et manipulation du gouvernement américain, lequel, cette fois-ci, se serait contenté de filmer des cosmonautes s'ébrouant dans du sable gris quelque part dans un studio de télévision...

Ces élucubrations ont assurément toute leur place sur les mêmes étagères que *L'effroyable imposture*. Car, on va le voir, les délires de ce livre ne se limitent pas à la thèse du « faux crash » sur le Pentagone.

4

Mensonges, fausses pistes et délires conspirationnistes

L'une des seules forces des conspirationnistes, c'est leur culot. Meyssan, qui n'a jamais travaillé suffisamment les dossiers qu'il traite pour acquérir un statut d'expert reconnu, revendique comme une forme de rigueur intellectuelle le fait de commenter les articles, photos ou documents qu'il trouve sur le Web. Ou à tout le moins ceux qui l'arrangent et vont dans le sens de ce qu'il cherche, sans évidemment pouvoir le trouver ; cela lui suffit néanmoins, croit-il, pour ambitionner d'administrer la preuve que « la version officielle ne résiste pas à l'analyse critique. Nous allons vous démontrer qu'elle n'est qu'un montage [1] ».

Diantre ! En réalité, Meyssan ne démontre rien du tout, mais extrapole, imagine, invente et rêve sa propre réalité, toute faite de complots et de moulins à vent

1. Thierry MEYSSAN, *L'effroyable imposture*, *op. cit.*, p. 8.

qu'il va pourfendre à coups de révélations bidonnées. Le problème, avec ce genre de lascar[2], c'est qu'ils ont généralement une capacité assez stupéfiante à vous assommer sous un déluge d'affirmations enchaînées et toutes plus fausses les unes que les autres, qu'il devient rapidement impossible de contrer, sauf à les prendre une à une et les décortiquer ; ce que jamais personne n'a le temps de faire...

Anguilles sous roche...

Ainsi donc, il aurait été possible, mais fastidieux pour les auteurs, de démonter l'une après l'autre l'ahurissante accumulation de contrevérités, d'incohérences, d'erreurs souvent grossières, que Meyssan a empilées dans son livre. Nous en avons simplement retenu quelques-unes, qui sont souvent aussi délirantes, bien que moins spectaculaires (quoique...) que la fable selon laquelle aucun Boeing n'est jamais tombé sur le Pentagone. Chaque fait, chaque élément liés aux attentats nous font bénéficier d'une brève analyse de Meyssan. Y compris le nombre de morts !

Car notre fin limier va jusqu'à voir une magouille dans le fait que le nombre des victimes ait évolué à la baisse entre le bilan avancé dans les heures qui ont suivi les attentats et celui, « définitif », présenté six mois plus tard. Les doubles comptages, les erreurs, les personnes disparues, les escrocs à l'assurance, sans

2. « Individu souvent rusé et hardi », selon le dictionnaire *Trésors de la langue française*.

compter les travailleurs clandestins et les étrangers qui n'auraient pas nécessairement dû se trouver là, suffisent à expliquer qu'il a fallu du temps pour effectuer un recensement. Ce qui n'empêche pas Meyssan d'y voir malice.

Rappelons que, dans les premières heures suivant l'attentat, des bilans officieux faisaient état de plus de 5 000 morts dans l'effondrement des deux tours de New York, chiffre ramené à 2 830 en février 2002. Or Meyssan a fait ses calculs d'épicier : le nombre de morts « aurait dû être au minimum 4 080[3] ». On ne la fait pas à Meyssan ! Cette différence inacceptable entre la vérité officielle et ses calculs personnels lui laisse à penser que les autorités américaines et le maire de New York ont caché quelque chose.

Il estime même que, tout compte fait, ces attentats n'étaient pas vraiment faits pour tuer beaucoup de monde : « Ce bilan est très inférieur aux estimations initiales, et laisse à penser que, malgré les apparences, les attentats ne visaient pas à provoquer des pertes humaines à échelle maximale. Au contraire, il a fallu une intervention préalable pour que de nombreuses personnes, au moins celles travaillant dans les étages supérieurs, soient absentes de leurs bureaux à l'heure dite[4]. » Le raisonnement est admirablement tordu, et la prudence extrême. Mais on ne peut s'interdire de rapprocher cette curieuse allégation de la théorie, que nous examinerons dans le dernier chapitre, selon laquelle les Israéliens (que Meyssan n'accuse jamais

3. Thierry MEYSSAN, *L'effroyable imposture*, *op. cit.*, p. 36.
4. *Ibid.*

explicitement, lui, d'avoir organisé les attentats) auraient pu faire évacuer des Juifs des immeubles avant la catastrophe.

Et tout à l'avenant. Que les tunnels et les ponts menant à Manhattan aient été coupés après le drame, notamment pour empêcher les habitants d'utiliser leurs voitures qui bloqueraient la circulation des véhicules de secours, et nous voilà avertis : « Tiens, on craint l'action de commandos au sol[5] ! » Que George Bush prétende faussement avoir regardé le 11 septembre au matin des images qu'il vit plus tard, et voilà que Meyssan débusque l'anguille sous la roche : « Il s'agit donc d'images secrètes, qui lui ont été transmises sans délai dans la salle de communication sécurisée[6]... »

Pistolets invisibles et avions sans pilote

Et ainsi de suite : les passagers des appareils détournés ont appelé leurs familles ou leurs proches par téléphone[7], et ont décrit ces pirates, qui ne disposaient pour toute arme que de cutters. Meyssan s'étonne, estimant qu'il est « difficilement concevable que le commanditaire des attentats ait négligé de fournir des armes à feu à ses hommes[8] ». Traduction : croyez-moi, j'ai la preuve que c'est faux, d'ailleurs je

5. *Ibid.*, p. 28.
6. *Ibid.*, p. *39*.
7. Qu'il s'agisse de leurs portables ou de combinés insérés dans les sièges des appareils et permettant d'appeler en vol.
8. Thierry MEYSSAN, *L'effroyable imposture*, *op. cit.*, p. 31.

m'y connais ; et de citer les pistolets Glock en matière synthétique, donc invisibles sous les scanners des aéroports. C'est en tout cas ce que croit Meyssan. Mais si la « carrosserie » de ces armes est bien faite de plastique, leur canon, leur culasse, leurs chargeurs et les balles qu'ils tirent sont en métal, eux, et donc bien visibles... Qu'à cela ne tienne, puisque, comme dans *X-Files*, la vérité est ailleurs !

Car on ne doit pas s'y tromper : Meyssan paraît accorder du crédit à une foutaise selon laquelle les avions n'ont pas été détournés par des pirates de l'air. Les passagers qui les ont vus à bord de leur avion ont raconté n'importe quoi, estime-t-il, car les pirates de l'air étaient inutiles dans le scénario du complot mis au point par des organisateurs n'ayant rien à voir avec les barbus islamistes, et tout avec une frange de l'appareil d'État américain.

Notre imaginatif auteur estime que les pirates de l'air n'auraient pas été en mesure de guider les avions avec suffisamment de précision pour les envoyer directement dans les tours. D'ailleurs, explique-t-il, il a consulté sur ce point des « pilotes professionnels » (on se demande bien qui ils sont, suffisamment épouvantés par l'ampleur de la révélation pour ne pas oser dire leur nom ?). Ceux-ci lui ont déclaré que « peu d'entre eux sont capables d'envisager une telle opération, et l'excluent formellement pour des pilotes amateurs [9] ». Et notre enquêteur hors pair de nous affirmer que des « balises » avaient été placées dans les deux tours du World Trade Center pour guider les

9. *Ibid.*, p. 32.

avions détournés. Preuve, bien sûr, que les pirates disposaient de complices au sol, élément constitutif du complot.

La preuve, selon Meyssan, de l'existence de ces balises ? Elles avaient déréglé des antennes de télévision [10] ! Où, quand, comment, par quel moyen ces « balises » auraient-elles été installées ? Pas de réponse. Comment les pirates de l'air se sont-ils dirigés vers elles ? Pas de réponse non plus. Une fois encore, l'auteur assène une existence « attestée » de ces balises qu'il n'identifie pas, prétend que ce système « attire l'avion qui est guidé automatiquement » (*sic*), nous garantit qu'« il est probable », puis qu'« il est possible » et enfin que, « de toute manière, il leur fallait des complices au sol ».

Des éléments, des indices, une information quelconque à défaut d'un début de preuve ? Rien, absolument rien. Des impressions, des fantasmes, des élucubrations, oui. Mais rien d'autre. Certes, il existe bien des systèmes de guidage automatique d'un avion vers une destination identifiée par ses données GPS (comme le VOR, pour *VHF Omnidirectional Range*), qui fonctionnent dans l'aviation depuis des dizaines d'années. Étaient-ils présents dans les avions qui ont frappé les tours du World Trade Center ? Peut-être. Reste que ces systèmes de guidage n'ont rien d'automatique : il s'agit de systèmes d'aides à la navigation, pas au pilotage. Bref, Meyssan se plante.

Il sait bien, le bougre, que plus c'est gros plus ça marche. Et le voilà qui nous sert un nouvel argument

---

10. *Ibid.*, p. 33.

bidon, pour tenter d'accréditer l'idée qu'il n'y avait pas besoin de pirates à bord : « En piratant les ordinateurs de bord avant le décollage, il est possible de prendre le contrôle de l'appareil en vol [11]. » Étonnante assertion. Transformer un Boeing ou n'importe quel avion en engin télécommandé est techniquement possible, mais imaginer que cela puisse se faire en « piratant les ordinateurs » de l'appareil n'a strictement aucun sens. Théoriquement, il serait aujourd'hui possible de faire embarquer des passagers dans une aérogare, de faire transiter leur avion commercial sur un *taxyway*, de le faire décoller, naviguer, puis atterrir sur n'importe quelle piste aérienne, tout cela sans pilote à bord. Mais le dispositif technique à mettre en œuvre serait incroyablement complexe, excessivement onéreux s'agissant d'avions transportant des passagers, et en tout état de cause inacceptable pour n'importe quelle compagnie de transport aérien, et *a fortiori* pour n'importe quel passager.

Meyssan préfère d'ailleurs évoquer une hypothèse plus exotique, à savoir une application de la technologie militaire utilisée dans le plus gros avion automatique (drone) de l'US Air Force, le *Global Hawk* [12]. Si on le lit bien, l'auteur fait mine d'avoir découvert cette idée tout seul, alors que toute son argumentation est calquée (traduite ?) sur celle du premier article évoquant cette « hypothèse », qui a rencontré un certain succès chez les conspirationnistes. Il s'agit d'un article rédigé en octobre 2001 par un certain

11. *Ibid.*, p. 33.
12. *Ibid.*, p. 33.

Carol A. Valentine, « curateur du musée électronique de l'holocauste de Waco[13] », et posté sur un site Internet spécialisé dans le traitement des conspirations de tout poil[14]. Valentine y explique doctement que les pirates n'avaient pas besoin d'être aussi nombreux qu'on l'a dit « officiellement », car en réalité « les avions étaient contrôlés par la technologie *Global Hawk*[15] ».

Et ainsi de suite… Nous épargnons au lecteur les détails sur les pirates de l'air qui n'auraient pas embarqué dans les avions, les contrôleurs du ciel qui n'auraient sciemment rien vu, l'US Air Force qui n'aurait volontairement pas réagi, etc.

Coup d'État et codes secrets

L'une des théories farfelues de Thierry Meyssan consiste à prétendre que le président George W. Bush aurait cru, durant plusieurs heures, être la cible d'un coup d'État militaire. L'auteur croit percevoir, chez les dirigeants américains et dans les heures suivant les

---

13. La secte dirigée par David Koresh à Waco, qui s'était retranchée dans ses bâtiments, a subi un assaut sans mesure du FBI et des forces armées le 19 avril 1993, qui provoqua 86 morts. Timothy McVeigh, le responsable de l'attentat contre l'immeuble fédéral d'Oklahoma City, deux ans plus tard jour pour jour, expliquera qu'il l'avait organisé pour venger cette répression. Le massacre de Waco est devenu l'une des références des conspirationnistes, des milices et de l'extrême droite américaines.

14. <www.conspiracyplanet.com>.

15. Carol A. VALENTINE, « Operation 911 : no suicide pilots », 6 octobre 2001.

attentats, la crainte de « pistes intérieures[16] », s'étonne que le président des États-Unis, l'homme le mieux protégé du monde, soit véhiculé sur les bases militaires en alerte maximale à bord de voitures blindées, et tire des conclusions abracadabrantes de déclarations officielles sibyllines, déformées et sorties de leur contexte.

Passons sur le fait qu'il prétend tirer de sources faussement identifiées[17] des informations qui ne s'y trouvent pas : jamais la dépêche d'Associated Press diffusée au lendemain des attentats n'a affirmé que « le Secret Service aurait reçu des messages des assaillants indiquant qu'ils comptaient détruire la Maison-Blanche et [l'avion présidentiel] Air Force One ». Cette dépêche expliquait, beaucoup plus sobrement, que dans cette période d'extraordinaire tension le président George Bush était soumis à des procédures prévues pour des circonstances exceptionnelles par le Secret Service chargé de la protection des hautes personnalités, et par les autorités militaires, dans des conditions parfaitement plausibles même si la situation les rendait brouillonnes.

La posture d'alerte mise en place dans la journée du 11 septembre est celle dite DefCon 3[18], la plus élevée

---

16. Thierry MEYSSAN, *L'effroyable imposture*, *op. cit.*, p. 44.

17. Meyssan cite par exemple comme émanant du *Washington Post* une dépêche de l'agence Associated Press : Sandra SOBIERAJ, « White House said targeted », 12 septembre 2001.

18. Les différents degrés DefCon (*Defense Condition*) déterminent le niveau de préparation à une riposte militaire. Ils vont de DefCon 5 (niveau normal de temps de paix) à DefCon 1 (niveau de disponibilité maximale).

depuis la guerre israélo-arabe de 1973. Certes, dès le surlendemain, le fameux éditorialiste du *New York Times*, Bill Safire, a donné des explications étranges [19] : citant, d'une part, des sources indistinctes anonymes, il indiquait que le Secret Service aurait reçu un message lui disant qu'« Air Force One est le suivant » ; et il rapportait, d'autre part, les propos d'un conseiller du président, Karl Rove, selon lequel le langage utilisé dans ce message constituait une preuve de la connaissance par les terroristes des procédures mises en œuvre pour protéger le président.

Dans un article sur les réactions du pouvoir américain aux attentats, publié le 27 janvier 2002 – donc plusieurs semaines avant la sortie du pamphlet de Meyssan –, le *Washington Post* revient sur cet épisode, et donne une clé pouvant expliquer la brève inquiétude du Secret Service : « Cheney [le vice-président] a appelé Bush à bord d'Air Force One, en route de la Floride pour Washington, pour lui dire que la Maison-Blanche venait de recevoir une menace contre l'avion. Le correspondant avait utilisé le nom de code de l'appareil, "Angel", suggérant que les terroristes avaient des informations venant de l'intérieur [20]. »

---

19. William SAFIRE, « Inside the bunker », *The New York Times*, 13 septembre 2001.

20. Dan BALZ et Bob WOODWARD, « America's chaotic road to war », *The Washington Post*, 27 janvier 2002.

Sources « crédibles » et droite extrême

Le problème, c'est que rien n'est plus simple que de se faire passer – du moins dans un premier temps – pour quelqu'un d'informé « de l'intérieur » du système de pouvoir américain. Curieusement, le fait n'a jamais été révélé jusqu'à ce jour : il se trouve que le moindre mauvais plaisantin peut trouver sur Internet des sources nombreuses permettant de faire illusion dans une conversation aussi brève qu'un appel téléphonique de menaces, sérieux ou bidon. Une part des fréquences de communication d'Air Force One se trouve en effet sur le réseau des réseaux [21], de même que… le fameux code « Angel » [22], déjà mis en ligne de longue date [23] par les gros malins du fanzine *2600*, l'un des premiers journaux de pirates informatiques ! Que, dans la folie de cette journée exceptionnelle, les agents du Secret Service se soient fébrilement agités, quoi de moins étonnant ?

En fait, cette affaire a logiquement fait long feu dans les journaux dignes de ce nom. En revanche, dans les pseudo-organes de presse qu'affectionnent les amateurs de conspirations, on en a fait des gorges chaudes. Meyssan cite ainsi comme une source crédible un article du journal online *WorldNetDaily*, création du journaliste de la droite extrême et ultrasioniste d'origine arabe Joseph Farah. Ses propres délires

---

21. <http://maxpages.com/frequencies/Air_Force_One>.

22. <http://www.2600.com/secret/more/codes.html>.

23. Une banale interrogation de la *Wayback Machine* du site d'archivage électronique de l'Internet (<http://www.archive.org/>) indique de fait que le nom de code « Angel » était déjà en ligne le… 10 mai 1996 !

quotidiens ne lui suffisant pas, ce dernier a recruté l'une des plus effarantes éditorialistes de la presse américaine, Ann Coulter[24], et le plus à droite des politiciens du pays, Pat Buchanan, pendant américain de Jean-Marie Le Pen, en plus coriace.

Naturellement, *WorldNetDaily* va s'emballer pour cette ténébreuse affaire de codes secrets, en rajoutant une couche dans le registre paranoïaque, sans le moindre degré de vraisemblance. Et nos apprentis Rouletabille de nous détailler la supposée liste des codes secrets « en possession des terroristes » en tout ou partie, qui auraient été volés à la DEA (Drug Enforcement Administration), au NRO (National Reconnaissance Office) et aux services de renseignement de toutes les forces militaires du pays, de même qu'à ceux du département d'État et du département de l'Énergie[25]. Aucune preuve, aucune source, aucun élément crédible ne vient conforter ces carabistouilles qui doivent être prises pour ce qu'elles sont : de l'invention pure et simple, au mépris de la plus élémentaire vérification.

Et cela devient chez Meyssan le copieur, qui prend les vessies pour des lanternes et ses fantasmes politiques pour des réalités : « Chacun de ces codes n'est détenu que par un tout petit nombre de responsables. Personne n'est habilité à en détenir plusieurs.

---

24. Que Farah a accueillie après qu'elle eut été renvoyée de la *National Review* pour y avoir écrit, le 13 septembre 2001, à propos des terroristes : « Nous devrions envahir leurs pays, tuer leurs dirigeants et les convertir au christianisme. »

25. « Digital moles in the White House ? Terrorists had top-secret presidential codes », *WorldNetDaily*, 20 septembre 2001.

[...] Quoi qu'il en soit, l'affaire des codes révèle qu'il existe un ou plusieurs traîtres au plus haut niveau de l'appareil d'État américain. [...] Les assaillants pouvaient usurper la qualité du président des États-Unis. Ils pouvaient à leur gré donner des instructions aux armées, y compris actionner le feu nucléaire[26]. »

Ben voyons ! Tout est faux, tout est pipeau. Tout cela n'a aucun sens, et fait fi de la moindre analyse sérieuse, tout en démontrant une ignorance crasse du fonctionnement et du déclenchement du feu nucléaire, qui n'impose pas seulement un ordre personnel du président, mais aussi son identification formelle par une chaîne de transmission clairement identifiée. Qu'importe ? L'auteur n'a que faire de la réalité.

Ben Laden et les codes secrets

Le voilà qui nous « révèle » maintenant que, finalement, « reconstituer les codes » des services secrets américains n'est pas si complexe : à l'en croire, il suffirait d'utiliser pour ce faire le logiciel Promis « qui a servi à les concevoir[27] ». Pourquoi Meyssan se gênerait-il pour mystifier ses lecteurs, qui n'iront sans doute pas y regarder de plus près ? Promis (*Prosecutor's Management Information System*) existe bel et bien, mais il est aussi juste de prétendre que ce logiciel

26. Thierry MEYSSAN, *L'effroyable imposture*, *op. cit.*, p. 46.
27. *Ibid.*, p. 45.

est fait pour écrire des codes secrets, que d'affirmer que les coquillettes sont une race de bête à viande.

Aussi ignorant soit-il, Meyssan le sait bien puisqu'un très bon livre spécialement consacré à ce système a été publié en français en 1997[28]. L'auteur a ainsi eu un accès simple à l'information selon laquelle le logiciel Promis, créé par la firme Inslaw dans les années soixante-dix, est un outil d'interrogation de bases de données hétérogènes, conçu initialement au profit du ministère de la Justice américain. Ce logiciel a été ensuite vendu par la communauté du renseignement américaine, *via* les services secrets israéliens et l'éditeur Robert Maxwell, à de nombreuses firmes et services de renseignement étrangers, non sans avoir été équipé d'un système « mouchard » renvoyant leurs informations internes vers les services d'espionnage américains et israéliens.

Quel rapport avec les attentats du 11 septembre ? Aucun que Meyssan puisse seulement documenter. Ce qui compte, c'est de donner du corps à cette théorie du complot ; de laisser accroire qu'une puissance indistincte tire les ficelles ; de s'associer aux divagations les plus invraisemblables, par exemple en laissant entendre que « les algorithmes de ce logiciel auraient été volés[29] » par le traître pro-soviétique Robert Hanssen ayant opéré au sein du FBI à partir de 1985, puis vendus à Oussama Ben Laden.

---

28. Fabrizio CALVI et Thierry PFISTER, *L'œil de Washington*, Albin Michel, Paris, 1997.

29. Thierry MEYSSAN, *L'effroyable imposture*, *op. cit.*, p. 45.

On accordera à Meyssan qu'il n'a pas eu la possibilité de lire le rapport Webster sur l'affaire Hanssen (publié au moment de la sortie de son livre [30]), rapport qui n'évoque aucunement l'éventuelle cession de Promis à Ben Laden par le traître. En revanche, l'auteur a eu un an pour prendre connaissance de l'acte d'accusation contre le même Hanssen, publié peu après son arrestation en février 2001, texte qui n'évoque en rien, lui non plus, un éventuel transfert illégal de Promis par Hanssen, tout en affirmant que ce dernier était expert dans l'utilisation de l'ACSS (*Automated Case Support System*), dérivé de Promis.

Copiant comme toujours son information chez d'autres, Meyssan l'a puisée cette fois dans un méchant article de Michael C. Ruppert, un ancien policier de Los Angeles contraint de quitter le service au début des années soixante-dix, et reconverti depuis dans la chasse aux turpitudes réelles ou supposées de la CIA. Son webzine, *From the Wilderness*, compile les informations publiées par les journaux pour en extrapoler des théories fumeuses, dont quelques perles sur les fameux codes secrets. Car chez Ruppert, cela devient : « Le fait que l'on rapporte la possession de Promis par Ben Laden peut aussi expliquer les messages de menace qui ont été reçus par le président

30. William WEBSTER *et al.*, *A Review of FBI Security Programs*, Department of Justice, Washington DC, mars 2002. Président de la commission d'enquête sur les failles de sécurité du FBI, le juge William Webster avait été directeur du FBI de 1981 à 1987, avant de prendre la tête de la CIA jusqu'en 1991.

Bush tandis qu'il se trouvait à bord d'Air Force One le 11 septembre[31]. »

Meyssan reprend bien sûr le tout en l'ornant de quelques décoratives glomérules apparemment de son cru, ajoutant que l'ancien patron de la CIA James Woolsey considère quant à lui que « les codes auraient plutôt été obtenus par des taupes[32] » irakiennes. Là, curieusement, Meyssan ne donne pas sa source, qui est en fait toujours Ruppert[33], et cela pour une raison simple : pour avancer cette théorie des codes dérobés par des taupes irakiennes, le conspirationniste américain s'appuie sur un article de Woolsey, publié à chaud dès le surlendemain des attentats, où ce dernier suggérait aux enquêteurs de ne pas se contenter de suivre la piste de Ben Laden, mais d'explorer également celle du terrorisme d'État irakien[34] ; or il se trouve que dans cet article Woolsey ne dit pas un mot ni des codes ni des taupes...

À la tête de la CIA de février 1993 à janvier 1995, Woolsey affirmait que la justice américaine n'a pas accordé suffisamment d'attention aux assertions de l'officier du FBI qui avait initialement dirigé l'enquête sur le premier attentat du World Trade Center le 26 février 1993, James Fox. Ce dernier estimait en effet que le nom de l'organisateur désigné de cet

---

31. Michael C. RUPPERT, « Bin Laden's "Magic Carpet'' secret US PROMIS software », *From the Wilderness*, 26 octobre 2001.

32. Thierry MEYSSAN, *L'effroyable imposture*, *op. cit.*, p. 45.

33. Michael C. RUPPERT, « Bin Laden's "Magic Carpet''... », *loc. cit.*

34. James WOOLSEY, « The Iraq Connection : blood Baath », *The New Republic Online*, 13 septembre 2001. Le titre est un jeu de mots sur bain de sang (*blood bath*) et le parti Baas de Saddam Hussein.

attentat, Ramzi Yousef, serait en réalité un pseudonyme, ne dissimulant pas un obscur Pakistanais nommé Abdul Basit, mais un agent irakien ayant usurpé l'identité de Basit[35]. Woolsey a vigoureusement démenti[36] les assertions de Ruppert dès qu'il en a pris connaissance, mais Meyssan a juste oublié d'en aviser ses lecteurs…

Comme on le voit, Thierry Meyssan et ses « experts » français ont largement puisé leur inspiration dans les publications des conspirationnistes américains, le plus souvent proches de la droite extrême. Mais sur ce plan, nous ne sommes pas encore au bout de nos surprises. Car nous avons découvert d'autres connexions encore plus étranges.

---

35. Cette théorie de Fox a été développée par Laurie Mylroie, *Study of Revenge. Saddam Hussein Unfinished War against America*, American Entreprise Institute, Washington DC, 2000.

36. <http://www.stanford.edu/group/wais/media_formerrjameswoolseyreplies92601.html>.

5

La théorie du coup d'État

La théorie du complot de Thierry Meyssan commence avec l'affaire du « code secret », dont nous avons vu ce qu'il faut en penser, et trouve son aboutissement dans une assertion toute simple, proférée avec la plus grande candeur : les attentats n'ont pas été commis par le réseau d'Oussama Ben Laden, « mais par un groupe présent au sein de l'appareil d'État américain qui a réussi à dicter une politique au président Bush [1] ».

Une bien étrange conspiration...

Quelle politique ? Le déclenchement d'une guerre : « Avec les attentats du 11 septembre, ils ont trouvé une

1. Thierry MEYSSAN, *L'effroyable imposture*, *op. cit.*, p. 50.

occasion rêvée[2]. » Qui aura naturellement pour but, d'abord, de faire tourner à fond les usines du complexe militaro-industriel, en justifiant des dépenses militaires accrues et une meilleure assise de la puissance américaine. Meyssan va jusqu'à considérer que, « pour Donald Rumsfeld et les généraux de l'Air Force, les événements du 11 septembre constituent en quelque sorte une "divine surprise"[3] ».

Problème : jamais, après l'élection de George W. Bush en novembre 2000, les militaires américains n'ont eu le moindre souci budgétaire à se faire. Et surtout pas ceux de l'US Air Force, qui savaient parfaitement avant même l'élection présidentielle que le bouclier spatial serait développé si Bush était élu, dès lors que ce dernier avait fait de ce choix stratégique – au demeurant fort contestable et controversé – le pilier de son programme militaire. Il y avait d'autant moins besoin de convaincre le pouvoir exécutif que le secrétaire à la Défense Donald Rumsfeld était depuis des années l'un des principaux partisans de ce bouclier spatial.

Les autres explications que Meyssan donne pour tenter de justifier le « coup d'État[4] » ne tiennent pas davantage la route, y compris quand il explique doctement à ses lecteurs qu'après l'ouverture du feu par les forces américaines contre l'Afghanistan : « Les affaires continuent. La culture du pavot peut enfin s'épanouir à destination du marché nord-américain. Et

---

2. *Ibid.*, p. 78.
3. *Ibid.*, p. 177.
4. *Ibid.*, p. 49.

le 9 décembre, Hamid Karzaï[5] et son homologue pakistanais, le général Musharraf, concluent un accord pour la construction du pipe-line d'Asie centrale[6]. »

Formidable Meyssan ! Le voilà qui nous « révèle » l'existence d'une économie de la drogue et le fait que les agriculteurs afghans y prennent part, alors que ce thème est documenté par des articles innombrables depuis des années, et des ouvrages par dizaines. Et qui découvre à la fois que la famille Bush est liée à l'industrie pétrolière (quelle trouvaille !), que les principaux cadres de son administration sont également issus de ce milieu (merci du tuyau...), tout en prenant soudainement conscience des implications géostratégiques du transport des hydrocarbures produits en Asie centrale, quand on sait depuis Rudyard Kipling et son roman *Kim*, publié en 1901, que l'Afghanistan est un carrefour stratégique aux confins de mondes antagonistes, en guerre depuis les premiers siècles de l'humanité et terrain de manœuvre du « grand jeu » des grandes puissances...

Résumons le propos de ce conspirationniste : 1) Ben Laden n'a pas commis d'attentat ; 2) une fraction de l'armée américaine en est responsable, dans le cadre d'une tentative de coup d'État. Bien sûr, ce « complot intérieur » existe surtout dans l'imagination de Meyssan : la presse américaine, qui s'y connaît un peu pour débusquer les coups tordus, n'a rien vu ; et aucune conscience ne s'est élevée parmi les complices

---

5. Devenu chef du gouvernement intérimaire afghan, en décembre 2001.

6. Thierry MEYSSAN, *L'effroyable imposture*, *op. cit.*, p. 143.

obligés d'une conspiration aussi gigantesque pour en dénoncer l'organisation. Pas un esprit politiquement aiguisé n'a jugé utile de dévoiler en même temps que Meyssan les « vraies » raisons du « complot ».

L'idée selon laquelle les attentats de New York et de Washington auraient été provoqués par la volonté d'une entité factieuse d'extrême droite désireuse d'imposer des choix militaires n'est pas plausible. Meyssan se garde d'ailleurs sur ce point de détailler dans son livre une hypothèse qu'il avait pourtant avancée dans l'une de ses notes d'information [7], selon laquelle les enquêteurs américains feraient mieux d'abandonner la piste Ben Laden, et de chercher du côté d'un groupe suprématiste blanc, raciste, misogyne, antisémite et anticommuniste, entre autres, qui se dit implanté dans des unités des forces spéciales américaines et dont Timothy McVeigh, l'auteur de l'attentat d'Oklahoma City (qui fit 168 morts le 19 avril 1995), aurait été proche : la Edwin A. Walker Society. Ce groupe disposerait d'une milice, intitulée Special Forces Underground, dont l'ancien sergent des Bérets verts Steven Barry se présente comme le chef. Ce groupe existe bien, et il est recensé par le Southern Poverty Law Center [8], qui fait autorité dans le suivi des six cents groupes racistes et néo-nazis qui sévissent aux États-Unis.

Sans doute, l'implication des milices d'extrême droite, une véritable plaie américaine, n'est-elle pas à exclure dans l'affaire de l'anthrax, cet envoi de bacille

7. « Note d'information du Réseau Voltaire », 27 septembre 2001.
8. <www.splcenter.org/>.

du charbon à divers destinataires du monde politique et de la presse, après le 11 septembre. La presse américaine a travaillé sur cette piste, tout comme les enquêteurs du FBI, sans résultats tangibles. De là à imaginer que ces milices auraient disposé des moyens humains et de la volonté de mener des opérations aussi énormes que les attentats du 11 septembre, de surcroît dans le cadre d'un coup d'État, il y a un abîme…

Lyndon LaRouche, l'inspirateur

Thierry Meyssan, à l'imagination si fertile, aurait donc trouvé tout seul le complot du millénaire, idée si farfelue que même Emmanuel Ratier – qui s'est fait, on l'a vu, une spécialité de la dénonciation des menées judéo-maçonniques – n'y croit pas ? Mais non, bien sûr… Quelqu'un y avait pensé avant lui : Lyndon LaRouche.

Qui est-ce ? Ce personnage étonnant, né en 1922, est un vieux cheval de retour de la politique américaine, ancien trotskiste ayant rejoint la droite la plus extrême, mégalomane et conspirationniste acharné. Éternel candidat groupusculaire (avec son US Labor Party) à l'élection présidentielle, il a tenté d'obtenir l'investiture du parti démocrate pour l'élection de l'an 2000, et compte bien réussir son coup en 2004 – il aura quatre-vingt-deux ans… Il a des efforts à faire, car il dépasse rarement un score de 0,1 %. Souvent accusé de néo-nazisme et d'antisémitisme, il s'est fait connaître par ses théories politiques curieuses, qui en font, en quelque sorte, le champion du monde des théories du complot.

À ses yeux, la reine d'Angleterre est à la tête du trafic de drogue international, l'ancien secrétaire d'État Henry Kissinger a cherché à le faire assassiner, et nombre de dirigeants américains – au temps de la guerre froide – étaient en fait des agents du KGB [9]. En 1978, il a créé en France le Parti ouvrier européen (POE), qui a présenté une liste aux élections européennes de 1984, avant de se transformer quelques années plus tard en une Fédération pour une nouvelle solidarité (FNS). En 1984, il a fondé à Wüppertal (Allemagne) l'Institut Schiller, un « centre d'études » que dirige son épouse Helga Zepp-LaRouche, et qui est aujourd'hui implanté dans plusieurs pays. Obnubilé par les activités des services de renseignement, il a créé la revue *Executive Intelligence Review*, avant d'être rattrapé en 1989 par une malencontreuse affaire de fraude fiscale et de détournement de fonds – un complot du FBI, naturellement ! –, qui lui vaudra une condamnation à quinze ans de prison, dont il ne purgera que six.

Lorsque les attentats se produisent, LaRouche se trouve, par le plus grand des hasards, interviewé en direct par l'animateur de radio Jack Stockwell, qui raconte à son interlocuteur – au téléphone – ce que lui-même voit à la télévision [10]. Il n'a pas besoin de faire

9. John MINTZ, « Some are out to kill me, LaRouche says », *The Washington Post*, 13 janvier 1985.

10. <www.schillerinstitute.org/radio_lar_sep_2001/sdi_lar_9_11_01.html#stockwell_interview>. Cette intervention est également disponible en version son, à la même adresse.

de grands dessins à LaRouche pour que ce dernier discerne dans les événements en cours une illustration de ses propres théories du complot : « Ne parlons pas de terrorisme. De mon point de vue, regardons plutôt du côté de notre propre gouvernement. » Rappelons ce qu'écrit Meyssan : « Les attentats n'ont donc pas été commandités par un fanatique croyant accomplir un châtiment divin, mais par un groupe présent au sein de l'appareil d'État américain [11]. » Coïncidence, sans doute.

Toujours dans cette interview, datant, rappelons-le, du 11 septembre, LaRouche va évoquer une « opération clandestine domestique ». Puis, au fil des jours, il distillera sa thèse du coup d'État qui n'est reprise par personne, même pas par les conspirationnistes américains ; mais en France elle ne va pas tomber dans l'oreille d'un sourd. Par exemple quand LaRouche écrit : « Des ressortissants d'autres parties du monde peuvent avoir été impliqués, mais l'opération est très sophistiquée, et actuellement personne en dehors des États-Unis ne pourrait en monter une semblable [12] », on croirait lire du Meyssan. Et qui a écrit : « C'est tellement évident. Un groupe de gens très puissants, peut-être avec une aide extérieure, mais essentiellement dans ce pays, a décidé l'équivalent d'un coup d'État contre les États-Unis » ? Meyssan ou LaRouche ? LaRouche !

11. Thierry MEYSSAN, *L'effroyable imposture*, *op. cit.*, p. 50.

12. John SIGERSON, « LaRouche : calm down ! The enemy is right here in the USA », *Intelligence Executive Review*, 18 septembre 2001.

Dans sa note d'information du 27 septembre 2001, le Réseau Voltaire reprend pour la première fois la théorie du coup d'État chère à LaRouche : « De 10 heures à 20 heures approximativement, les officiels américains ne pensaient pas que ces frappes étaient le fruit de groupes terroristes moyen-orientaux, mais qu'ils manifestaient une tentative de coup d'État militaire par des extrémistes américains capables de provoquer la guerre nucléaire [13]. » Cette proximité d'analyse ne manquera pas d'être repérée par les larouchiens – on devine qui est la poule, et qui est l'œuf – et l'Institut Schiller va opportunément saluer la pertinence des « milieux français » qui accréditent la thèse de leur gourou : à la lecture des « révélations » de Meyssan, l'épouse de LaRouche va jusqu'à estimer que celles-ci nécessitent un « débat majeur sur la politique de sécurité [14] ».

Meyssan, on ne s'en étonnera guère, est exactement du même avis : « Si l'on souhaite répondre à l'appel du Conseil de sécurité, appliquer la Résolution 1368 [15] et punir les vrais coupables, le seul moyen de les identifier avec précision serait de constituer une commission d'enquête, dont l'indépendance et l'objectivité

---

13. Note d'information du Réseau Voltaire, 27 septembre 2001.

14. Helga ZEPP-LAROUCHE, « French circles confirm thesis : coup attempt unfolding in US », communiqué de l'Institut Schiller, 15 novembre 2001.

15. En date du 12 septembre 2001, ce texte de l'ONU autorise la riposte militaire des États-membres contre les auteurs des attentats et ceux qui les soutiennent.

soient garanties par les Nations unies[16]. » Mme LaRouche connaît déjà le premier thème d'investigation : « Une question extrêmement importante de ce point de vue consistera à déterminer précisément ce qui a conduit le président Poutine, immédiatement après les attaques, à téléphoner au président Bush pour l'informer que les forces nucléaires russes n'avaient pas été placées à leur plus haut niveau d'alerte[17]. » Bush et Poutine n'ont qu'à bien se tenir : LaRouche et Meyssan, princes de l'intox et rois des mégalos, les ont à l'œil !

Lyndon LaRouche a un « correspondant » en France, qui se présente comme son ami : Jacques Cheminade, l'animateur du « parti » Solidarité et Progrès et ex-candidat à la présidentielle de 1995. Tout comme LaRouche, bien sûr, et comme Meyssan, dont il fait grand cas sur le site de son groupuscule[18], il est un tenant de la thèse du complot. Il a exprimé on ne peut plus clairement son point de vue dans un communiqué publié trois jours après les attentats sur le site Web de sa campagne avortée pour les présidentielles de 2002[19], titré « Éviter la fuite en avant :

---

16. Thierry MEYSSAN, « Qui a commandité les attentats du 11 septembre ? Conférence sous les auspices de la Ligue arabe », 8 avril 2002. Sur le site www.reseauvoltaire.net

17. Helga ZEPP-LAROUCHE, « French circles confirm thesis », *loc. cit.*

18. <http://solidariteetprogres.online.fr/News/Etats-Unis/Tous.html>. Meyssan est également en bonne place sur le site de Neuen Solidarität des amis allemands de LaRouche, sur lequel on trouvera : Muriel MIRAK-WEIÁBACH, « Am 11. September begann ein Staatsstreich in Amerika », <www.solidaritaet.com/./neuesol/2001/47/leitart.htm>.

19. <www.cheminade2002.org/>. Jacques Cheminade n'a pas pu être candidat à l'élection présidentielle de 2002, en raison, affirme-t-il, du

chercher les complicités intérieures » et dans lequel on retrouve, là encore pratiquement mot pour mot, les élucubrations à venir de Meyssan.

Qu'écrit Cheminade dès le 14 septembre ?

1) « Les actions menées n'ont pu l'être par une simple organisation terroriste ; elles ont exigé une compétence impliquant la participation d'éléments haute placés dans les services de renseignement et l'appareil d'État d'un des principaux pays du monde. »

2) « La connaissance par les "terroristes" des procédures et des codes secrets, ainsi que des déplacements de l'avion de George W. Bush, indiquent [...] la forte possibilité de la présence d'une "taupe" à la Maison-Blanche ou à des niveaux très élevés au sein du FBI, de la FAA, de la CIA ou des services secrets américains en général. »

3) « On peut dire que, comme au moment de la guerre du Golfe mais à une échelle bien plus générale, les "représailles" provoquées sont le but visé par l'acte "terroriste". Ce but consiste à entraîner les États-Unis et l'ensemble des pays occidentaux, liés par l'article 5 de l'OTAN, dans une aventure débouchant non seulement sur un conflit sanglant au Proche-Orient, ou ailleurs, mais aussi sur le "choc des civilisations" espéré par Samuel Huntington [20] et Zbigniew Brzezinski entre l'"Ouest" (et éventuellement la Russie) et le monde arabo-musulman. »

---

complot ourdi contre lui par la presse et la classe politique françaises. Lire à ce propos, sur son site, Christine BIERRE, « Le système contre Jacques Cheminade », 15 avril 2002.

20. Samuel HUNTINGTON, *Le Choc des civilisations*, Odile Jacob, Paris, 1997.

LaRouche/Cheminade/Meyssan, même combat

On le voit, les thèses de LaRouche et consorts, qui n'ont pas eu, est-il utile de le préciser, le plus microscopique impact dans le monde politique et médiatique américain (mais on sait que, selon les conspirationnistes, politiciens et journalistes sont à la solde des « oligarques »), ont en revanche trouvé un écho complaisant chez un compilateur bien de chez nous. Dans ses remerciements, à la fin de *L'effroyable imposture*, Thierry Meyssan remercie un « J. C. » pour son « aide documentaire ». Aucune de ces deux personnes n'ayant accepté de répondre à nos questions, nous ne pouvons être certains que ces initiales désignent Jacques Cheminade. Mais une chose est sûre : LaRouche/Cheminade/Meyssan, même combat.

On comprend assez aisément que le dernier des trois lascars ait choisi de ne pas informer ses lecteurs de sa proximité intellectuelle, attestée par la saisissante similitude de leurs écrits respectifs, avec ces douteux maîtres à penser. Comme nous l'a confié un abonné de longue date du Réseau Voltaire et admirateur de Thierry Meyssan, ce dernier « a des contacts incroyables aux États-Unis et chez la police, et nous permet de comprendre la face cachée des choses ». La déception sera sans doute difficile à avaler… On peut supposer qu'il sera difficile de faire admettre à ceux qui ont vu le Réseau Voltaire comme un organe ayant effectivement défendu une certaine forme de liberté d'expression, que ce vertueux combat se trouve compromis – et à quel point ! – par l'aventure éditoriale délirante d'un affabulateur, beaucoup plus prompt à dénoncer d'hypothetiques « menteurs[21] » qu'à dévoiler ses sources sulfureuses.

L'éditeur de Meyssan affirme que le livre de son auteur « se fonde exclusivement sur des documents de la Maison-Blanche et du département de la Défense, ainsi que sur les déclarations des dirigeants civils et militaires américains à la presse internationale. Toutes les informations qu'il relate sont référencées et donc vérifiables par le lecteur[22] ». Cette assertion n'est pas exacte. Les vraies sources sont tenues soigneusement cachées, pour une raison simple : elles ne sont que légendes et fantaisie, sans la moindre démarche journalistique, sans la plus infime vérification, sans le plus minuscule recoupement, et sans source originale.

Sans doute Meyssan, qui n'est pas journaliste[23], peut-il s'affranchir des règles professionnelles élémentaires de recoupement, de vérification et de confrontation des sources et des points de vue, qui permettent d'aborder de manière honnête, à défaut d'être objective, les questions les plus complexes. Mais il se moque du monde quand il prétend qu'il présente sa thèse au nom de la liberté : à ses yeux, celle-ci ne consiste pas à « croire en une version simpliste du monde, mais c'est comprendre, élargir les

21. Thierry MEYSSAN, *L'effroyable imposture, op. cit.*, p. 174.

22. <www.carnot.fr>.

23. Contrairement à ce qu'il affirme dans la quatrième de couverture de son ouvrage où il dit pratiquer le « journalisme d'investigation ». La qualité de journaliste peut se revendiquer pour quiconque possède une carte professionnelle délivrée par la CCIJP (Commission de la carte d'identité des journalistes professionnels), sous des conditions strictes.

options et multiplier les nuances[24] ». Baratin de faussaire et de filou intellectuel, qui lui permet de justifier, justement, une théorie du complot simpliste, restrictive et sans la moindre nuance.

Accordons malgré tout à Meyssan qu'il n'a pas, à notre connaissance, repris la totalité des élucubrations de LaRouche, lequel ne s'est pas contenté de dénoncer le coup d'État, mais prétend également en avoir découvert les inspirateurs : il s'agirait essentiellement, à ses yeux, de l'ancien conseiller du président Jimmy Carter pour les affaires de sécurité nationale, Zbigniew Brzezinski, et de Samuel Huntington, l'auteur du *Choc des civilisations*, plus quelques autres[25]. L'incorrigible LaRouche ne s'arrête d'ailleurs pas en si bon chemin, et désigne comme ultime coupable le régime israélien, suffisamment fourbe pour avoir « choisi de désigner » Oussama Ben Laden comme fautif. Exactement comme, un siècle plus tôt, une anarchiste juive de renom, Emma Goldman[26], avait, selon LaRouche, organisé l'assassinat du président américain de l'époque et laissé

---

24. Thierry MEYSSAN, *L'effroyable imposture*, *op. cit.*, p. 2.

25. Lyndon LAROUCHE, « Zbigniew Brzezinski and September 11th », *Executive Intelligence Review*, 11 janvier 2002.

26. Militante anarchiste et juive originaire de Russie, Emma Goldman a été accusée d'avoir inspiré Léon Czolgosz, qui assassina le président William McKinley en septembre 1901. Son rôle, qu'elle a toujours démenti, et celui des Juifs dans le mouvement anarchiste avaient déclenché une vague d'antisémitisme aux États-Unis. Le lecteur consultera avec intérêt Emma GOLDMAN, *L'Épopée d'une anarchiste. New York 1886-Moscou 1920*, Complexe, Bruxelles, 2002.

accuser et condamner à mort un anarchiste qui n'était que son instrument[27].

Il est difficile, avouons-le, d'établir une « gradation du délire » : jusqu'où peut-on se contenter de sourire ? À partir d'où doit-on commencer à s'inquiéter et à se battre ? La réponse n'est pas toujours évidente. C'est ce point que nous allons tenter de trancher, s'agissant de *L'effroyable imposture* et de son écho, dans le dernier chapitre de ce livre.

---

27. Lyndon LAROUCHE, « Zbigniew Brzezinski and September 11th », *loc. cit.*

6

Conspiration et négationnisme

Plusieurs commentateurs des inepties du président du Réseau Voltaire ont discerné dans ses écrits une démarche proche de celle utilisée par les négationnistes du génocide des Juifs et des Tziganes, ou de ceux qui contestent les autres génocides qui se sont produits au XXe siècle, y compris en Turquie et au Rwanda.

Vieille Taupe ou Réseau Voltaire ?

« Sous sa présidence, ce qui fut le Réseau Voltaire ressemble de plus en plus à la Vieille Taupe après que Faurisson l'eut préemptée. [...] Certaine loi de l'offre et de la demande fait qu'on ne réfute pas Meyssan non plus que Faurisson », a écrit le journaliste Pierre Marcelle [1].

Rappelons que La Vieille Taupe fut d'abord une librairie d'extrême gauche fondée en 1965 par Pierre Guillaume, ancien de *Socialisme ou Barbarie*, avant de se rallier, en 1970, aux théories négationnistes de Paul Rassinier, puis de devenir l'une des principales officines relayant de diverses manières les délires antisémites de Robert Faurisson, dont l'historien Pierre Vidal-Naquet a en son temps remarquablement démonté la logique perverse : « Celle du délire sur le complot (juif, bien entendu). [...] Il vient de signer (printemps 1987) un tract où il explique que le "mensonge d'Auschwitz" est né en avril 1944 en Europe centrale, et que ce mensonge a "cinq principaux responsables", tous juifs, bien entendu. [...] Un tract qui n'est peut-être pas directement de La Vieille Taupe, mais qui est manifestement inspiré par elle et par feu Paul Rassinier, explique tranquillement que les Juifs sont responsables de la Seconde Guerre mondiale, que par l'intermédiaire d'Israël ils vont provoquer la troisième, et qu'ils ont si peu été exterminés qu'on les voit partout : "Chaque 'miraculé' est la preuve que ce qu'il raconte de l'extermination est une salade." Sur toutes ses publications, La Vieille Taupe reproduit cette maxime : "Ce qu'il y a de terrible quand on cherche la vérité, c'est qu'on la trouve." Ce qu'il y a de terrible, en effet, est que La Vieille Taupe a manifesté, avec un éclat solaire, ce

1. Pierre MARCELLE, « Mensonge à Voltaire », *Libération*, 26 mars 2002.

qu'était sa propre vérité[2]. » L'écho de ces lignes, quinze ans après qu'elles ont été écrites, résonne étrangement après la lecture de *L'effroyable imposture*...

Plus cruel encore, si c'est possible, le philosophe Alain Finkielkraut accuse l'auteur de *L'effroyable imposture* de « faire du négationnisme en temps réel. Il écarte de l'Histoire tous les événements qui perturbent l'idée qu'il s'en fait. [...] Il nous faut aujourd'hui affronter de nouveaux *Protocoles des Sages de Sion* qui dénoncent l'histoire officielle comme une farce et qui mettent à jour une sphère d'influence secrète en nous disant que la réalité visible n'est qu'une façade plantée pour tromper le peuple[3] ». Et Finkielkraut de citer dans ce texte un extrait de la contribution d'Umberto Eco au livre *Entretiens sur la fin des temps*[4] : « Le négationniste ne reconnaît pas le jugement de la collectivité, il le nie catégoriquement. Il ne suit pas les critères collectifs, il suit ses propres critères. Or cette logique perverse qui reste celle d'une minorité de fanatiques pourrait un jour devenir la logique du Web. »

Internet n'est pas coupable

Umberto Eco a mille fois raison de dénoncer cette « logique perverse », mais il convient de regarder les

---

2. Pierre VIDAL-NAQUET, *Les Assassins de la mémoire*, La Découverte, Paris, 1987 ; édition de poche : « Points Seuil », Paris, 1995.

3. Interview au *Figaro*, le 23 avril 2002.

4. Jean-Claude CARRIÈRE, Jean DELUMEAU, Umberto ECO et Stephen Jay GOULD, *Entretiens sur la fin des temps*, Fayard, Paris, 1998.

choses d'un peu plus près en ce qui concerne le rôle d'Internet : en réalité, Meyssan n'a publié sur le Web des éléments de son livre que sous la forme d'un diaporama reprenant des photographies de l'attentat du Pentagone, assorties de commentaires goguenards. Encore ces images ont-elles été publiées sur un autre site, animé par son fils [5]. Quant aux *Notes d'information du Réseau Voltaire*, notamment celles publiées après les attentats du 11 septembre, elles ne sont accessibles qu'à quelques centaines d'abonnés, qui les payent ou sont servis gratuitement. Mais les internautes n'y ont pas accès.

Sans doute, les thèses conspirationnistes sont-elles accessibles sur Internet, réceptacle des rumeurs, ragots et canards les plus invraisemblables, aussi vieux que la communication entre les hommes. La nouveauté, c'est qu'ils trouvent avec Internet un moyen de propagation sans aucune limitation, et que le réseau des réseaux est devenu le véhicule complaisant des délires les plus fous, dont se nourrissent les théoriciens de la conspiration. La presse « sérieuse » n'accorde heureusement aucun crédit à ces élucubrations et les traite donc par le mépris.

Mais Internet se joue de ces obstacles éditoriaux ! Les délires les plus dingues étant aussi les plus vifs, le réseau fait depuis sa naissance la part belle aux plus énormes d'entre eux, auxquels des sites sont consacrés, mais qui se propagent également par courrier électronique ou dans les groupes de discussion. C'est ainsi qu'on peut apprendre que Bill Gates, le

5. <http://www.asile.org/meyssan/>.

patron de Microsoft, est l'Antéchrist[6], qu'Elvis Presley est bien vivant, et que George W. Bush s'emploie à dissimuler les liens du gouvernement américain avec les extraterrestres[7].

Les rumeurs, sur le réseau comme ailleurs, ne sont toutefois pas une fatalité et il existe des contre-feux. Si les journaux ne s'y intéressent guère, et ne cherchent donc pas à les combattre, des « militants de la vérité » fonctionnant en réseau s'emploient à y répondre point par point, le plus souvent pour les pulvériser de belle manière. Certains sites, aussi recommandables que distrayants, sont en français[8], d'autres en anglais[9]. Reste qu'il est vrai que les jobards ont la belle vie sur le Net, et qu'aucun filtre, aucun garde-fou ne les empêchera de propager leurs bobards. Sur Internet, liberté rime parfois avec délirer.

C'est bien pourquoi, tant que Meyssan se contenta de l'Internet, pas de problème : le réseau en a vu d'autres et la rumeur s'est propagée grâce à la notoriété de bon aloi du Réseau Voltaire, généralement apprécié pour ses combats passés en faveur de la liberté d'expression… Dans cette affaire, ce sont bien les médias « traditionnels » qui sont en cause, bien plus qu'Internet. Car tout a changé quand les thèses abracadabrantes de Meyssan ont pris la forme d'un livre, et que les journaux s'y sont intéressés de beaucoup plus près après l'apparition habile de l'auteur

6. <http://egomania.nu/gates.html>.

7. <www.presidentialufo.8m.com/georgew.htm>.

8. <www.hoaxbusters.com> et <www.bugbrother.com>, en particulier.

9. <www.urbanlegends.com>.

dans une émission télévisée de grande écoute. Son interview trop aimable par l'animateur Thierry Ardisson dans son émission *Tout le monde en parle*, le 16 mars 2002, a provoqué un intérêt massif des lecteurs, et l'achat de dizaines de milliers d'exemplaires de son ouvrage.

Une logique suicidaire

Lorsque les critiques sévères se sont abattues sur son enquête, Meyssan a d'autant mieux senti le danger que cette infamante accusation de « négationnisme » a été émise par ceux-là mêmes qu'il aurait souhaité convaincre. Pour tenter de trouver une parade à cette charge dévastatrice, il s'est rapproché d'un homme, Marc Knobel, animateur du centre Simon Wiesenthal à Paris, intransigeant pourfendeur de la « peste brune » sur le réseau des réseaux, initiateur de plaintes multiples contre les propagateurs des thèses négationnistes, les revendeurs de breloques nazies et autres thuriféraires de l'ordre noir.

Parce que leur relation avait été forte naguère, au nom de la lutte commune contre l'extrême droite, parce que Marc Knobel n'avait alors pas lu le livre de Meyssan, parce qu'il estimait juste la bataille menée par le Réseau Voltaire pour la défense des homosexuels martyrisés en Égypte, il a accepté de lui confier un article sur ce dernier thème, que Meyssan a mis en ligne sur son site. Avant de donner son accord, Knobel – qui n'ignorait pas que sa cyberprésence aurait une claire signification de soutien au droit de

Meyssan d'écrire ce qui lui chante – avait pris soin de demander à l'auteur de *L'effroyable imposture* si rien dans ce qu'avait écrit ce dernier ne pouvait prêter le flanc à des critiques sur une éventuelle attitude agressive vis-à-vis d'Israël [10].

Meyssan, nous a-t-il expliqué, lui avait alors fait lire la page 37 de son ouvrage, dans laquelle il paraît prendre quelque distance avec une rumeur qui a rapidement fait florès sur Internet après les attentats, selon laquelle, en Israël, des employés d'une firme de communication, Odigo, auraient reçu un avertissement sous forme de SMS sur leurs téléphones portables, deux heures avant le drame. Ces assertions ne sont pas le moins du monde démontrées, et le texte des fameux messages n'est pas connu. Alex Diamandis, l'un des vice-présidents de la société Odigo, a déclaré que ce texte « n'identifiait pas les tours du WTC comme cible d'une attaque [11] », mais il a indiqué que le reste de ses informations était réservé aux enquêteurs. De quoi retourne-t-il ? Ce texte n'est-il qu'un obscur SMS annonçant autre chose qu'une attaque ? Personne n'en sait rien, sinon le FBI qui le garde pour lui… Meyssan ne sait rien de plus que quiconque, ce qui ne l'empêche pas d'écrire : « Des mises en garde de toutes sortes ont pu être adressées à des occupants de la tour Nord, même si

---

10. Entretien avec les auteurs, avril 2002.

11. Brian McWilliams, « Odigo clarifies attack messages », *News-Bytes*, 28 septembre 2001.

tous ne les ont pas prises au sérieux de la même manière [12]. »

Pas de quoi fouetter un chat, a alors estimé Knobel, qui n'accepte pas que le terme de « négationnisme » soit appliqué à Meyssan : « Je trouve son livre épouvantable, mais cela n'a rien à voir avec la négation de l'Holocauste. Si tout le monde est accusé de faire du Faurisson, le négationnisme disparaît [13]. »

Et puis, un jour... Peu de temps après la parution de *L'effroyable imposture*, voilà que Meyssan publie sur son site le texte d'une étonnante conférence tenue à Abu-Dhabi le 8 avril 2002 « sous les auspices » de la Ligue arabe [14], au cours de laquelle il laisse, encore plus que dans son livre, libre cours à son imagination, élucubre sur le tir d'un missile contre le Pentagone (« missile de la dernière génération du type AGM, muni d'une charge creuse et d'une pointe en uranium appauvri de type BLU, guidé par GPS »), s'enferme dans sa logique intellectuellement suicidaire, et démontre cette fois, à tout le moins aux yeux de Marc Knobel et de quelques autres, qu'il est un ennemi d'Israël. Knobel nous dit avoir alors retiré aussitôt son texte amical du site du Réseau Voltaire, qui demeure depuis toujours aussi vide de toutes autres contributions originales que celles de Meyssan.

---

12. Thierry MEYSSAN, *L'effroyable imposture*, *op. cit.*, p. 37.
13. Entretien avec les auteurs.
14. Thierry MEYSSAN, « Qui a commandité les attentats du 11 septembre ? », *loc. cit.*

« La vérité est ailleurs » ?

Les dérives du personnage mériteraient sans aucun doute d'aller chercher dans les détails ce qui les motive, au fond, et ce qui a pu conduire ce militant défenseur d'idées généreuses à se fourvoyer dans les théories de la conspiration.

Celles-ci, qui arrivent de la sorte avec fracas en France, ne sont pas nouvelles aux États-Unis. Elles ont commencé avec la mère de toutes les rumeurs, voulant que, en 1947, une soucoupe volante se soit écrasée non loin de la base de Roswell, au Nouveau-Mexique, et que l'existence des extraterrestres que ce véhicule transportait ait été cachée par le FBI et l'armée, dans la plus gigantesque conspiration de tous les temps. Cette théorie du complot s'est développée jusqu'à devenir une composante importante de la vie américaine (elle est notamment l'argument de base de la série à succès *X-Files*) : en mai 2002, une simple interrogation sur les deux mots *Roswell* et *conspiracy* sur le moteur de recherche Google donnait… 18 900 réponses ! Et que dire de l'assassinat du président John F. Kennedy, qui a donné lieu à d'innombrables théories du complot, sans que la vérité puisse jamais être connue ?

L'un des meilleurs chercheurs sur ces questions en France, le sociologue des sciences Pierre Lagrange, auteur d'un livre fort bien documenté sur l'« affaire Roswell »[15], estimait peu après que le succès télévisé de Meyssan se fut transformé en phénomène de

---

15. Pierre LAGRANGE, *La Rumeur de Roswell*, La Découverte, Paris, 1996.

librairie : « On commet souvent deux erreurs au sujet de ce genre de thèses. La première serait de croire que ces "critiques" sont irrationnels. Pas du tout, ils sont au contraire hyperrationalistes. En fait, ils utilisent et retournent des raisonnements qui ont longtemps servi pour dénigrer par exemple les amateurs de soucoupes volantes. À force de dire aux "soucoupistes" qu'ils n'avaient pas de preuves, certains d'entre eux ont fini par répondre qu'on les leur cachait [16]. »

Roswell-Meyssan, même combat. Le président du Réseau Voltaire – qui n'a, soit dit en passant, plus rien d'un réseau – reprend en quelque sorte à son compte des produits fantaisistes d'imaginations romanesques, telle la fameuse série de bande dessinée *XIII*, de Vance et Van Hamme, qui voit un ex-espion poursuivi par d'abominables comploteurs installés au sein du pouvoir américain. Ces albums, fort bien troussés, ont atteint en France des records de ventes. Mais ce qui peut être plaisant dans une bande dessinée ou un roman nourri des fantaisies de l'auteur perd tout son charme quand un Meyssan confond roman et réalité. Sans qu'il veuille l'admettre, bien sûr, sa démarche est très proche de celle de la série télévisée *X-Files*, dont l'argument, répétons-le, tient en quatre mots : « La vérité est ailleurs. »

16. *Libération*, 30 mars 2002.

La « bombe Meyssan »

La grande nouveauté qu'introduit le succès de son ouvrage, c'est l'irruption de l'irrationnel et des théories de la conspiration auprès du grand public français, lequel ne s'était jamais trop intéressé au sujet jusqu'alors. Bien au-delà de la rumeur, bien avant le formidable retentissement donné aux folles thèses de Meyssan par son exceptionnel succès d'édition, c'est l'irruption du conspirationnisme dans les médias, et d'abord à la télévision, qui a fait son succès.

Puisqu'un tabou avait été soudainement brisé, puisqu'il devenait brutalement possible d'admettre que les vieilles théories du complot (« oligarchique », « judéo-maçonnique », etc.) chères à l'extrême droite, revisitées au goût du jour, avaient un fond de vérité, dès lors que la télévision en parlait, des dizaines de milliers de Français éberlués se sont rués dans les librairies pour voir exactement de quoi il retournait. À nos yeux, ce succès s'explique essentiellement par la nature de la théorie de Meyssan. Une partie des Français – en proportion certainement moins importante qu'aux États-Unis – adore ces hurluberlus venant leur dire qu'ils sont victimes de complots, qu'on leur cache la vérité, qu'il ne faut pas accepter les discours officiels et au contraire toujours démystifier les pratiques des pouvoirs, quels qu'ils soient.

Ces théories diffusées sans raison ni contrôle ont d'autant plus de succès qu'elles se nourrissent des failles et faiblesses de la démocratie française : nombre d'observateurs l'ont remarqué à juste titre, la percée de Le Pen au premier tour des élections présidentielles du printemps 2002 s'explique largement par le mépris du peuple et l'opacité dont s'accommode trop volontiers une partie des élites, quelle que soit leur couleur politique (et cela est encore plus vrai, bien sûr, aux États-Unis, devenus de ce fait le paradis des conspirationnistes). Le succès de ces théories, manipulées avec dextérité par des populistes, des démagogues ou des escrocs abusant de la crédulité publique, ne doit donc rien aux talents singuliers de Thierry Meyssan : ce n'est pas lui qui a décrédibilisé la presse au point que les Français ne la croient plus, pour préférer à son travail sérieux, mais évidemment incomplet, des fariboles sans queue ni tête ; ce n'est pas lui qui doit assumer cette « perte de sens » générale, qui frappe malheureusement une part croissante des Français (et des Européens).

L'écho inattendu de son livre est assurément l'un des symptômes d'une profonde maladie sociale et politique. Mais cela ne dédouane pas pour autant son auteur. Car celui-ci, consciemment ou non – nous ne pouvons en juger, puisqu'il n'a pas voulu nous rencontrer –, n'a pas hésité à surfer sur cette vague : en principe, pour s'informer, il faut lire les journaux, prendre le temps de finir un article, puis un autre ensuite. Pour Meyssan, c'est plus simple : trois phrases à la télé, un livre dont vingt pages concernent le sujet qu'il est censé aborder, et le tour est joué !

Oui, des prestations comme celles de Meyssan ont participé à la percée de Jean-Marie Le Pen aux élections présidentielles d'avril 2002, et on ne peut pas nier que l'effroyable succès de *L'effroyable imposture* procède à sa manière de mécanismes similaires. Cette donnée est d'autant plus troublante que l'on peut observer une proximité étonnante entre les thèses de Meyssan et celles de conspirationnistes d'extrême droite, comme nous l'avons vu, et que les plus sinistres tenants du négationnisme lui ouvrent les bras, avec le bonheur simple du berger retrouvant la brebis égarée.

C'est ainsi que Serge Thion, chercheur révoqué du CNRS en 2000 pour cause de négationnisme (il a fait appel de cette décision), défend mordicus le point de vue de Meyssan dans sa *Gazette du Golfe et des banlieues*, un webzine nauséabond diffusé à partir du site antisémite et négationniste de Radio Islam. Sous un titre *ad hoc* [17], seul écrit de sa plume sur le sujet, Thion rassemble des textes divers, soutenant tous Meyssan, à l'exception d'une très dure diatribe d'Alain Lipietz [18], que Thion ne cite que pour pouvoir traiter de « social-sharoniste » l'ex-candidat des Verts à la présidentielle de 2002. L'auteur de *L'effroyable imposture*, idole inattendue de Thion et consorts, a même droit à la publication intégrale de sa conférence à Abu-Dhabi, déjà citée, dans laquelle il évoque notamment la « fable des terroristes islamistes » du 11 septembre…

Meyssan n'a sans doute pas sollicité Serge Thion pour qu'il assure ainsi avec tant d'ardeur la promotion de son livre et de ses thèses. Tout comme il n'a sans doute pas demandé à un tenant de la droite extrême

---

17. « Prolégomènes pour une patasociologie du onze septembre », *Gazette du Golfe et des banlieues*, mai 2002.

18. Alain Lipietz, « L'affaire Meyssan et la destruction de la raison », <www.lipietz.net>, 1er avril 2002.

comme Serge de Beketch de prendre sa défense avec une telle vigueur, quand ce dernier ne regrette qu'une chose : que le grand public n'ait admis la prétendue validité de ses propres « délires » que lorsque Meyssan s'en est saisi. C'est ce qu'il expliquait en mars 2002 sur son site Internet, dont nous avons délibérément choisi de ne pas citer l'adresse (les curieux sauront la trouver) : « Pas un seul titre de la grande presse, de la vraie, de l'intelligente, de celle qui se vend (dans tous les sens du terme) n'évoquait ces délires. Pas une radio, pas une télé. Mieux : nier la réalité du complot terroriste exclusivement islamiste était porter atteinte à la mémoire des victimes (air connu). Et puis, voilà que d'un seul coup, un type, un seul, douteux d'entre les bizarres, séminariste en rupture de soutane tourné gay militant tendance porte-à-gauche, et mauvais fer avec ça, compile quelques-uns des innombrables sites Internet que les Américains ont consacrés au sujet, pioche informations, textes, références et photos, en torche un bouquin en quelques semaines et le publie sans difficultés. Et d'un seul coup d'un seul, tout le monde se réveille. C'est la “bombe Meyssan” [19]. »

Bien au chaud dans son monde de conspirateurs, voilà Meyssan en compagnie des parias et des pestiférés de la négation de l'histoire et du révisionnisme. Il s'y trouve bien ? Qu'il y reste...

---

19. Serge DE BEKETCH, « Une bombe à retardement », *Le Libre Journal*, 21 mars 2002.

Annexes

Messages de Hubert Marty-Vrayance
envoyés
au forum du site dgse.org

De : "Hubert MARTY-VRAYANCE" <h.mv@w...>
Date : Lundi 17, Septembre 2001 11:56
Objet : Pas clair : cutters et victimes

Tous ceux qui réfléchissent posément aux événements du 11 septembre ne peuvent s'empêcher de se poser toutes ces questions bien gênantes sur le déroulement et la profonde motivation de ces attaques, qui ont retourné la planète en 24 heures, bien mieux qu'avec la guerre du Golfe ou avec l'ancien
"satan" Milosevic que tout le monde a maintenant bien oublié à La Haye... Il doit se sentir bien seul aujourd'hui ! A chaque époque son "démon"...

- des intégristes qui s'ennivrent dans les boîtes de nuit ne sont nullement des intégristes ; des gens manipulables oui ; et conditionnés par d'autres. La manipulation mentale par médicaments, rayons, infra-sons, images subliminales etc, cela existe et pas seulement dans les séries de fiction ; les armes du nouveau siècle sont expérimentés "en live" ;
- ils étaient visiblement de très mauvais pilotes comme le raconte un journal de Barcelone ; incapables sans doute de faire seuls des tirs aussi précis qui ont du demandé un certain entraînement avant ! Ou alors, ils ont dû faire beaucoup de Playstation 2, Nintendo etc, etc !
- on comprend difficilement que 4 équipes de terroristes qui préparent le coup le plus fracassant du nouveau siècle fassent dépendre toute l'opération de quelques lames de cutter : un exploit ! S'il est vrai qu'il suffit d'égorger un membre d'équipage ou un passager pour les paralyser tous
de terreur, il n'est pas pensable de faire dépendre toute une opération si bien préparee du succès éventuel de cette "arme" : le coupe-moquettes ! Cette version est grossière et vise à faire croire que les 4 équipes sont passées inaperçues lors de 4 contrôles différents dans 3 aéroports en 3 heures. Des étourderies, des légères fautes d'inattention aux portiques !! Qui peut sérieusement le croire ?
Or, si l'on apprenait qu'au lieu de canifs, les équipes suicide avaient avec eux pistolets et kalachnikovs, ce qui est tout de même plus probable, la thèse du complot serait nettement plus crédible. C'est certainement ce qui s'est passé : les commandos étaient probablement armés d'armes réelles, mais le reconnaître prouverait des complicités nombreuses et évidentes. On est loin de tout cela dans la thèse en cours de décongélation que l'on nous sert !
Car à 4 endroits différents, passer des armes dans des avions ne sont plus de malheureuses "coïncidences " mais une opération bien préparée et bénéficiant d'importantes complicités ; et si l'équipage et les passagers avaient tous été endormis par des gaz peu après le décollage, par souci d'humanité ? C'est possible. Que sait-on de ce qui s'est réellement passé à bord ?
Retrouvons les boîtes noires, mais il a du se passer dans ces 4 appareils des choses qui défient totalement la normale !
- autre idée : les membres des "commandos" ont été éliminés avant et les avions télécommandés depuis le sol pour faire croire que c'était eux !

- les "appels" des passagers ne prouvent rien : c'est le type même d'informations dont les média rafolent et que les bons SR savent distiller et manipuler pour orienter l'opinion publique dans le sens qui leur convient
; l'orchestration de l'opération a prévu le côté "gestion de la crise par les média" ;

- enfin, une dernière chose devrait intriguer tout un chacun : le réel bilan de ces attaques est nettement moins grave que ce que l'on pouvait

redouter en voyant les images hollywodiennes des attaques. Et tant mieux bien sûr !
Déjà les 4 avions avaient un nombre moyen de passagers, entre 40 et 70, soit assez peu, même pour des lignes intérieures américaines qui sont souvent plus remplis ! Entre les deux côtes les vols sont souvent pleins, c'est un peu comme le train chez nous.
Ensuite le bilan dans les twin towers : on nous annonçait un bilan effroyable, chaque tour abritant 20 à 25.000 employés, on redoutait 20, voire 30.000 morts ! Ce bilan pouvait légitimement être attendu.
Il y en aurait finalement 5.000 : tant mieux, tout le monde s'en réjouit profondément, mais on ne peut s'empêcher de penser à une chose machiavélique : et si certains avaient été discrètement prévenus d'être en retard, de ne pas aller dans les tours à ce moment là ?? Par des sources bien informées. Cela corroborerait à nouveau la thèse du complot.
- de même le nombre de morts au Pentagone, que l'on pensait s'élever à 2 ou 3000 au début, serait inférieur à 200. Tant mieux pour tous, on s'en réjouit sincèrement, et on déplore les victimes et la souffrance de leurs familles, mais là encore, une question s'impose : ce bilan modéré est étonnant, incite aux interrogations. Certains n'auraient-ils pas eu vent de ce qui se tramait ? La surprise ne semble pas avoir été totale pour tout le monde.
- enfin, on oublie trop vite les deux voitures bourrées d'explosifs déposées devant le Pentagone et le Département d'Etat qui détruisent une partie des bâtiments dans une orchestration toute symphonique !!! Quelle coordination entre la terre et les airs, digne d'une véritable armée ! Le timing est parfait : quels génies ces barbus !
Là encore, personne n'a rien vu, la police était aussi aveugle que dans 3 aéroports, et quand l'on connait les mesures de sécurité prises dans et autour de ces deux centres de décision de la politique US, cela ne colle pas
du tout. C'est tout à fait invraisemblable.

Tout cela sont de simples considérations personnelles, toutefois de moins en moins extravagantes à la lumière des conséquences politiques et géo-stratégiques de l'attaque "surprise" des tours.
Oui, vraiment, Ben Laden a des épaules bien trop larges et son escadron de kamikazes était génial !
Car ils nous ont joué aussi "Les hommes invisibles" en plus de "la Tour infernale"...
Mais comme le dit si bien la série "X FILES", la vérité est ailleurs !!
Elle est bien près, sur le sol US même et non en Afghanistant vers qui on détourne maintenant l'attention du monde...
Pauvres citoyens US victimes de gens tellement cyniques... Et bientôt, pauvres afghans, victimes innocentes en retour.
Et puis demain : à qui le tour ?
Arrêtez les, tous, quels qu'ils soient, barbus, ou dictateurs cyniques en col blanc jouant avec le globe comme dans le film de Chaplin, avant qu'ils n'incendient la planète bleue !

De : "Hubert MARTY-VRAYANCE" <h.mv@w...>
Date : Mardi 18, Septembre 2001 17:40
Objet : Bill Gates et les attentats contre le WTC

On me signale une bizarrerie étonnante sur les logiciels Microsoft.

- Créer un nouveau document Word
- Taper NYC pour New York City ou W pour Washington
- cliquer le format Windgings sur la police de caractère
- mettez au format 72

admirez ces sigles très évocateurs...

De : "Hubert MARTY-VRAYANCE" <h.mv@w...>
Date : Mardi 18, Septembre 2001 12:48
Objet : TRÈS BONNE SYNTHÈSE DE L'UN DE NOS LECTEURS !!!

Quelques autres considérations de bon sens :

- comment peut-on trouver simultanément 19 "kamikazes" qui acceptent de suivre pendant un an des cours de pilotage qu'ils assimilent d'ailleurs très mal si l'on en croit leurs instructeurs américains et espagnols, uniquement pour prévoir de se jeter sur des gratte-ciels ? Que l'on trouve par ci par là un, 2 ou 3 kamikazes, comme en Palestine actuellement, OK, mais à ce point là, sûrement pas. Dans ce groupe de "taupes", il y avait sûrement un ou deux élèves "normaux" qui auraient pu vouloir utiliser leurs acquis à des fins privées ! Là non, faire autant d'efforts pour finir en fumée, j'ai du mal à le croire... Et tout cela pour un mobile inexistant, sans revendication publique, écrite.
- comment sur 4 avions différents ces intrus parviennent jusqu'aux cockpits de pilotage qui sont normalement toujours verrouillés sur les avions américains ? Normalement on n'ouvre de l'intérieur qu'après reconnaissance. Aucun membre d'équipage n'a pu signaler un détournement aux tours de contrôle ! Là aussi, fait unique contrairement à tous les détournements connus depuis des lustres.
- qui a payé tous ces cours à cette cohorte ? BL ou d'autres sponsors ?
- peut-on mettre ces Boeing sur PA avec coordonnées précises des tours sur GPS ? Cela semble possible, surtout si l'on observe bien le mouvement ultime du second avion qui a fait une dernier mouvement d'aile avant d'atteindre la tour qu'il a failli éviter ;
- j'ai pu voir des images du premier avion qui atteint la tour, et des photos également. Que faisait un photographe au pied de la tour avec un appareil à ce moment là ? Il avait une intuition faramineuse !

Les jours passant, nous trouverons encore d'autres énormes failles dans toute cette gigantesque opération qui relève surtout de la guerre de l'information.

De : "Hubert MARTY-VRAYANCE" <h.mv@w...>
Date : Jeudi 27, Septembre 2001 19:10
Objet : Quant le président Bush croyait devoir faire face à un coup d'État militaireS

les doutes que j'avais exprimés sur les attentats du 11 septembre se trouvent bien étayés !
Ce remarquable dossier est à consulter de toute urgence !

Subject: Quant le président Bush croyait devoir faire face à un coup d'État militaire

Réseau Voltaire
http://www.reseauvoltaire.net

DIFFUSION : 27 SEPTEMBRE - 15H

11 septembre 2001, 10h01 : le Secret Service, chargé de la protection du président des États-Unis, reçoit un appel des auteurs des frappes de New York et Washington. Pour créditer sa menace, la voix donne les codes secrets
permettant d'authentifier les ordres présidentiels donnés depuis la Maison-Blanche ou Air Force One.
Immédiatement, pour protéger Georges W. Bush, l'avion présidentiel à bord duquel il rentre à Washington est dérouté vers une destination inconnue, tandis que la Maison-Blanche et le Capitole, sièges des institutions démocratiques, sont évacués et les personnels politiques conduits dans abris
antiatomiques.
Aucun membre du Conseil national de sécurité ne pense plus à des " attaques terroristes ", tous pensent qu'un coup d'État militaire est en cours. Le calme ne reviendra qu'à 20h30.

Quant le président Bush croyait devoir faire face à un coup d'État militaireS

Révélations et analyses dans la Note d'information du Réseau Voltaire n° 235-236
Attention, cette enquête n'est diffusée qu'aux abonnés des Notes d'information. Abonnement par carte bleue :
http://www.reseauvoltaire.net/presentations/abonnements.htm